# Inglés en
# 100 Días

# AGUILAR

Título original: INGLÉS EN 100 DÍAS
© 2007, TRIALTEA USA

De esta edición:
D.R. © 2007, Santillana USA Publishing Company, Inc.
2105 N.W. 86th Avenue
Miami, FL 33122
Teléfono: 305-591-9522
www.alfaguara.net

Aguilar es un sello editorial del Grupo Santillana. Éstas son sus sedes:

**Argentina**
Av. Leandro N. Alem, 720
C1001AAP Buenos Aires
Tel. (54 11) 4119 50 00
Fax (54 11) 4912 74 40

**Bolivia**
Avda. Arce, 2333
La Paz
Tel. (591 2) 44 11 22
Fax (591 2) 44 22 08

**Colombia**
Calle 80, nº10-23
Bogotá
Tel. (57 1) 635 12 00
Fax (57 1) 236 93 82

**Costa Rica**
La Uruca
Del Edificio de Aviación Civil 200 m
al Oeste
San José de Costa Rica
Tel. (506) 220 42 42 y 220 47 70
Fax (506) 220 13 20

**Chile**
Dr. Aníbal Ariztía, 1444
Providencia
Santiago de Chile
Telf (56 2) 384 30 00
Fax (56 2) 384 30 60

**Ecuador**
Avda. Eloy Alfaro, N33-347 y
Avda. 6 de Diciembre
Quito
Tel. (593 2) 244 66 56 y 244 21 54
Fax (593 2) 244 87 91

**El Salvador**
Siemens, 51
Zona Industrial Santa Elena
Antiguo Cuscatlan - La Libertad
Tel. (503) 2 505 89 y 2 289 89 20
Fax (503) 2 278 60 66

**España**
Torrelaguna, 60
28043 Madrid
Tel. (34 91) 744 90 60
Fax (34 91) 744 92 24

**Estados Unidos**
2105 NW 86th Avenue
Doral, FL 33122
Tel. (1 305) 591 95 22 y 591 22 32
Fax (1 305) 591 91 45

**Guatemala**
7ª avenida, 11-11
Zona nº 9
Guatemala CA
Tel. (502) 24 29 43 00
Fax (502) 24 29 43 43

**Honduras**
Colonia Tepeyac Contigua a Banco
Cuscatlan - Boulevard Juan Pablo,
frente al Templo Adventista 7º Día,
Casa 1626
Tegucigalpa
Tel. (504) 239 98 84

**México**
Avda. Universidad, 767
Colonia del Valle
03100 México DF
Tel. (52 55) 54  20 75 30
Fax (52 55) 56 01 10 67

**Panamá**
Avda Juan Pablo II, nº 15.
Apartado Postal 863199, zona 7
Urbanización Industrial La Locería
- Ciudad de Panamá
Tel. (507) 260 09 45

**Paraguay**
Avda. Venezuela, 276
Entre Mariscal López y España
Asunción
Tel. y fax (595 21) 213 294 y 214 983

**Perú**
Avda. San Felipe, 731
Jesús María, Lima
Tel. (51 1) 218 10 14
Fax. (51 1) 463 39 86

**Puerto Rico**
Avenida Rooselvelt, 1506
Guaynabo 00968
Puerto Rico
Tel. (1 787) 781 98 00
Fax (1 787) 782 61 49

**República Dominicana**
Juan Sánchez Ramírez, nº 9
Gazcue
Santo Domingo RD
Tel. (1809) 682 13 82 y 221 08 70
Fax (1809) 689 10 22

**Uruguay**
Constitución, 1889
11800 Montevideo
Uruguay
Tel. (598 2) 402 73 42 y 402 72 71
Fax (598 2) 401 51 86

**Venezuela**
Avda. Rómulo Gallegos
Edificio Zulia, 1º. Sector Monte
Cristo. Boleita Norte
Caracas
Tel. (58 212) 235 30 33
Fax (58 212) 239 10 51

Fotografía de cubierta: GettyImages

ISBN 10: 1-59820-966-3
ISBN 13: 978-1-59820-966-2

Primera edición:  Julio de 2003
Decimaoctava edición: Abril de 2008

Estimado Amigo,

¡Sí! Tú también puedes hablar inglés y te lo vamos a poner muy fácil con nuestro curso de **"Inglés en 100 días"**. Este es un curso desarrollado por profesores con mucha experiencia en enseñar inglés a personas como tú, cuyo idioma nativo es el español. Sabemos lo que necesitas: un inglés cotidiano que te permita desarrollar tu vida en Estados Unidos sin problemas de idioma. Sólo así podrás aprovechar al 100% las oportunidades que existen aquí. Hablar bien inglés es imprescindible.

Y también sabemos que tienes poco tiempo para aprender y necesitas un curso rápido, que no sea complicado y con el que puedas aprender de forma divertida, dedicándole sólo unos pocos minutos al día. Tienes muchas cosas que hacer desde que te levantas hasta que te acuestas. **"Inglés en 100 días"** es el curso que andabas buscando.

¿Sabías que en español usamos de forma cotidiana sólo 500 palabras, si no tenemos en cuenta nuestras complicadas formas verbales? Pues bien, con **"Inglés en 100 días"**, en sólo 100 días te enseñaremos 1,000 palabras y frases esenciales del inglés americano. ¡El que necesitas para vivir y trabajar en los Estados Unidos!

Estados Unidos es el país que más oportunidades ofrece a quien emigra desde su país de origen buscando un futuro mejor. Venimos de países muy distintos a Estados Unidos. Renunciamos a muchas cosas cuando decidimos emigrar y las echamos mucho de menos. Ahora que estamos aquí, enseguida nos damos cuenta de que hablando inglés nuestras oportunidades son mucho mayores. ¡Dale! ¡Aprende inglés tú también!

Con **"Inglés en 100 días"** lo conseguirás en pocas semanas. Hemos creado este curso con mucho cariño, con mucho cuidado y siempre pensando en el inglés que tú necesitas. Hemos creado un personaje, Luis, un muchacho de Monterrey que llega a San Francisco a trabajar y a estudiar. A lo largo de las 30 unidades del curso, Luis irá experimentando las situaciones que tú has vivido ya o que vas a vivir muy pronto: pasar migraciones, encontrarse con amigos, buscar trabajo, pasar entrevistas, ir al supermercado, empezar a trabajar, comprar ropa, ir al banco, a la oficina de correos, etc.

Y para terminar, repasaremos juntos las 1,000 palabras y frases del inglés americano, con las que te defenderás en cualquier situación y en cualquier lugar.

Todos los que formamos parte de la Universidad del Inglés te deseamos mucho éxito en Estados Unidos. Hablar bien inglés te ayudará mucho. Ojalá que cuando termines este libro puedas decir que lo has logrado tú también. Con esa ilusión hemos trabajado mucho, pensando en ti siempre. Estaremos felices de escuchar tus comentarios y tu experiencia con nuestro curso, llámanos al teléfono 1-800-210-0344 o visítanos en www.u-ingles.com

Con cariño,

Daniela Vives
Universidad del Inglés

# INDICE

# NIVEL 1

NIVEL 2

NIVEL 3

NIVEL 4

NIVEL 5

NIVEL 6

# UNIDAD 1

## EN ESTA UNIDAD APRENDEREMOS:

### USEMOS EL IDIOMA
- *Saludos*
- *Entregar algo a alguien*
- *Agradecimientos*

### ESTUDIEMOS LA GRAMÁTICA
- *Pronombres personales (sujeto)*
- *El verbo to be*

### LLEGANDO A ESTADOS UNIDOS

### MIGRACIONES

Luis Flores llega a los Estados Unidos desde México. En el aeropuerto, pasa por el control de Inmigraciones y por la Aduana.

## 1 DIÁLOGOS

**Officer:** **Good afternoon.** Where are you from?
**Luis:** **Good afternoon. I'm from** Monterrey, Mexico.

Oficial: Buenas tardes. ¿De dónde es usted?
L: Buenas tardes. Soy de Monterrey, México.

**O:** Is this **your** final destination?
**L:** Yes.

O: ¿Es éste su destino final?
L: Sí.

**O:** Your passport, **please**.
**L:** Yes, **here you are**.

O: Su pasaporte, por favor.
L: Sí, aquí tiene.

**O:** Fine. And your I-94 form, please.
**L:** **Excuse me?**

O: Bien. Y su forma I-94, por favor.
L: ¿Disculpe?

**O:** Your Immigration Form.
**L:** Oh, yes! It is in **my** bag. Just a minute, please... **There you are**.

O: Su Forma de Inmigraciones.
L: Ah, sí! Está en mi bolso. Un minuto, por favor... **Aquí tiene**.

**O:** Fill in your address in the United States, please. And the city and state.

O: Complete con su domicilio en los Estados Unidos, por favor. Y la ciudad y el estado.

L: Oh, yes. **I'm sorry.**
O: Here's a pen.
L: Thank you. Address in the United States... 2200 Folsom St. Right. City, San Francisco and state... California. Ready. **Here you are.**

L: Ah, sí. Lo siento.
O: Aquí tiene un bolígrafo.
L: Gracias. Domicilio en los Estados Unidos... 2200 Folsom St. Bien. Ciudad, San Francisco y estado... California. Listo. Aquí tiene.

O: **Thank you.** Well… here's your passport. Welcome to the United States.
L: **Thank you very much. Goodbye.**

O: Gracias. Bien… aquí tiene su pasaporte. Bienvenido a los Estados Unidos.
L: Muchísimas gracias. Adiós.

**Customs Officer: Good afternoon.** Do you have anything to declare?
L: Uh... no, nothing.
O: Could you open your suitcase, **please**?
L: Yes... it is a little difficult... now, that's it!

Oficial de Aduana:  Buenas tardes. ¿Tiene algo para declarar?
L: Eh,... no, nada.
O: ¿Podría abrir su maleta, por favor?
L: Sí,... es un poco difícil... ahora, ¡ya está!

O: That's fine, thank you. Enjoy **your** stay in the United States.
L: **Thanks a lot.**

O: Muy bien, gracias. Disfrute su estadía en los Estados Unidos.
L: Muchas gracias.

# 2 USEMOS EL IDIOMA

### a. Greetings - Saludos:

| | |
|---|---|
| Cuando **llegas** a un lugar por la mañana, debes saludar diciendo: | **Good morning** (Buenos días) |
| Después del mediodía: | **Good afternoon** (Buenas tardes) |
| Al final de la tarde: | **Good evening** (Buenas tardes/noches) |
| Cuando te **despides**, cualquiera sea la hora, dices: | **Goodbye, Bye** o **Bye, bye** (Adiós) |
| y si te **vas a dormir**: | **Good night** (Buenas noches) |

### b. Giving someone something/Entregar algo a alguien:
Cuando le entregas algo a alguien, puedes usar estas frases:

Here you are ⎯ There you are

Aquí tiene

### c. Thanking/Agradecimientos:

Thanks (Gracias)
Thank you (Gracias)
Thanks a lot (Muchas gracias)
Thank you very much
(Muchísimas gracias)

y te contestarán

**You're welcome**
(No hay de qué)

### d. Fíjate en estas expresiones:

| | |
|---|---|
| Cuando **pides algo**: | **Please** (Por favor) |
| Cuando **no escuchaste** o **no entendiste** lo que te dijeron: | **Excuse me?** (¿Disculpe?) |
| Cuando **pides disculpas**: | **I'm sorry** (Lo siento) |

# 3 ESTUDIEMOS LA GRAMÁTICA

**a.** Pronombres personales
Para nombrar personas, animales, cosas o situaciones sin usar directamente su nombre, se usan los pronombres sujeto:

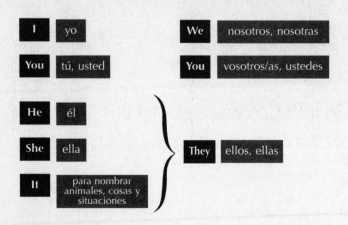

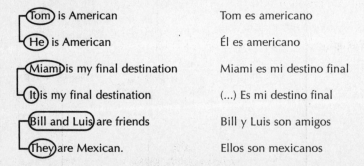

| | |
|---|---|
| Tom is American | Tom es americano |
| He is American | Él es americano |
| Miami is my final destination | Miami es mi destino final |
| It is my final destination | (...) Es mi destino final |
| Bill and Luis are friends | Bill y Luis son amigos |
| They are Mexican. | Ellos son mexicanos |

**b.** El verbo **to be**:

El verbo "to be" tiene dos significados: "ser" y "estar". Se usa de la siguiente manera:

I **am** (Yo soy o estoy)

You **are** (Usted es o está)
      (Tú eres o estás)

He **is** (Él es o está)

She **is** (Ella es o está)

It **is** (Ello es o está)

We **are** (Nosotros/as somos o estamos)

You **are** (Ustedes son o están)

They **are** (Ellos/as son o están)

Ejemplos del verbo "to be" con el significado "ser":

I am Mexican (Yo soy mexicano)
We are Brazilian (Nosotros somos brasileños)

Ejemplos del verbo "to be" con el significado "estar":

He is in Miami (Él está en Miami)
They are in Miami (Ellos/as están en Miami)

# UNIDAD 2

## EN ESTA UNIDAD APRENDEREMOS:

### USEMOS EL IDIOMA
- *Saludos*
- *Presentaciones*
- *Agradecimientos*

### ESTUDIEMOS LA GRAMÁTICA
- *Preguntas usando el verbo "to be"*
- *Contracciones*
- *Pertenencia*
- *This y that*
- *Adjetivos descriptivos*

### ENCONTRANDO AMIGOS

Luis se encuentra con su amigo Bill, que fue a buscarlo al aeropuerto con Annie, una amiga.

---

## 1 DIÁLOGOS

**Bill:** Luis! **Hi!**
**Luis:** **Hello,** Bill, **how are you?**

Bill: ¡Luis! ¡Hola!
Luis: Hola, Bill, ¿cómo estás?

**B:** I'm fine, and you?
**L:** I'm very well. Thank you for coming!

B: Yo estoy bien, ¿y tú?
L: Yo estoy muy bien. ¡Gracias por venir!

**B:** You're welcome. Oh, sorry! This is my friend Annie.
**Annie:** Hi, Luis. Nice to meet you. Welcome to San Francisco!

**B:** No hay de qué. ¡Oh, disculpa! Esta es mi amiga Annie.
**Annie:** Hola, Luis. Encantada de conocerte. ¡Bienvenido a San Francisco!

**L:** Thanks! Nice to meet you, too.
**B:** Are you tired?
**L:** Yes. The flight was very long.

**L:** Gracias. Encantado de conocerte a ti también.
**B:** ¿Estás cansado?
**L:** Sí. El vuelo fue muy largo.

**B:** How's your family?
**L:** They're O.K.

**B:** ¿Cómo está tu familia?
**L:** Ellos están bien.

**A:** Where exactly are you from?
**L:** I'm from Monterrey.

**A:** ¿De dónde eres exactamente?
**L:** Soy de Monterrey.

**A: Is it a beautiful city?**
**L: Yes, it is.** Very beautiful

A: ¿Es una linda ciudad?
L: Sí, lo es. Muy linda.

A: San Francisco is beautiful too.
L: And you? **Where are you from?**
A: **I'm from** Seattle.

A: San Francisco es bonita también.
L: ¿Y tú? ¿De dónde eres?
A: Soy de Seattle.

L: Excuse me?
A: **I'm from** Seattle, Washington. It is near Canada.
L: Are you on vacation here?

L: ¿Disculpa?
A: Soy de Seattle, Washington. Está cerca de Canadá.
L: ¿Estás de vacaciones aquí?

A: No, I live and work in San Francisco.
L: Oh, I see!
A: Well, come this way, **my** car is in **that** parking lot.

A: No, vivo y trabajo en San Francisco.
L: Ah, entiendo.
A: Bien, vengan por aquí, **mi** automóvil está en **aquel** estacionamiento.

**a.** Para **saludar a personas que ya conoces** puedes decir:

| | |
|---|---|
| **Hello, how are you?** | Hola ¿cómo está usted? |
| **Hi, how are you?** | Hola ¿cómo estás tú? |

Y **para responder** a este saludo puedes decir:

I'm fine, thanks (Estoy bien, gracias)
I'm very well, thanks (Estoy muy bien, gracias)
I'm O.K, and you? (Estoy bien, y tú/usted?)

**b.** Fíjate cómo se hacen las **presentaciones**:

Si te **presentas a ti mismo,** puedes decir:

| | |
|---|---|
| **My name is** María Fontana | **Mi nombre es** María Fontana |
| Hello, **I'm** María | Hola, **yo soy** María |

Cuando **presentas a otra persona,** puedes decir:

| | |
|---|---|
| **This is** my friend Annie | **Esta es** mi amiga Annie |

Cuando **las personas presentadas** se saludan, dicen:

| | |
|---|---|
| **Nice to meet you** | Encantado de conocerte |
| **Nice to meet you too** | Encantada de conocerte a ti también |

**c.** Veamos cómo le **agradeces** a alguien algo que hizo por ti:

| | | | | | |
|---|---|---|---|---|---|
| Thank you for | coming helping me inviting me | ➡ | Gracias por | venir invitarme ayudarme |

**a.** Para **hacer preguntas usando el verbo to be** debemos cambiar de lugar al verbo y colocarlo al principio de la frase:

Afirmación:  your friend (Ella es tu amiga)

Pregunta: Is she your friend? (¿Es ella tu amiga?)

Al escribir, **se agrega** un solo signo de interrogación (?) al final de la oración.

| | |
|---|---|
| **Is he** from Monterrey? | **¿Es él** de Monterrey? |
| **Are you** tired? | **¿Estás** cansado? |
| **Are they** friends? | **¿Son** ellos amigos? |
| **Is it** beautiful? | **¿Es** linda? |
| **Is he** happy? | **¿Es él** feliz? |

**b.** En inglés, especialmente al hablar, muchas veces se omiten algunas letras y se juntan las palabras. Son lo que se llama **"contracciones"**, y en el lugar de la letra que no se dice va un apóstrofo ('). La pronunciación de las palabras es diferente cuando se juntan. Veamos lo que sucede con el verbo "to be" en afirmaciones:

| | | |
|---|---|---|
| I **am** | I**'m** | I'm from Portugal |
| You **are** | You**'re** | You're at the airport |
| He **is** | He**'s** | He's from Mexico |
| She **is** | She**'s** | She's my friend |
| It **is** | It**'s** | It's interesting |
| We **are** | We**'re** | We're happy |
| You **are** | You**'re** | You're tired |
| They **are** | They**'re** | They're from California |

También hay contracciones con los nombres:

**Bill's** from the U.S.  **Bill is** from the U.S.
**Annie's** from Seattle  **Annie is** from Seattle

En las **preguntas** con el verbo "to be" **las contracciones no se usan:**

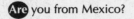 you from Mexico?  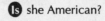 she American?

**c.** Para indicar pertenencia estudiaremos en esta lección dos palabras:

| | | |
|---|---|---|
| **My** (mi) | My name is Luis | Mi nombre es Luis |
| **Your** (tu, su) | What's your name? | ¿Cuál es tu/su nombre? |

**d. This** y **that:** Se refieren a personas, cosas y animales sobre los que estamos hablando, como si los estuviéramos señalando:

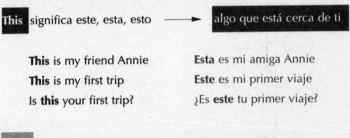

**This** significa este, esta, esto ——→ algo que está cerca de ti

| | |
|---|---|
| **This** is my friend Annie | **Esta** es mi amiga Annie |
| **This** is my first trip | **Este** es mi primer viaje |
| Is **this** your first trip? | ¿Es **este** tu primer viaje? |

**That** significa ese, esa, eso, aquel, aquella, aquello

└──→ algo que está lejos de ti

| | |
|---|---|
| Is **that** your bag? | ¿Es **ese/aquel** tu bolso? |
| **That**'s my friend Annie | **Aquella/Esa** es mi amiga Annie |
| My car is in **that** parking lot | Mi automóvil está en **aquel** estacionamiento |

**e.** Para describir a personas, cosas, animales o situaciones se usan **adjetivos,** que son palabras que nos dan información sobre sus características, por ejemplo: peso, duración, aspecto, sensación, etc.

| | |
|---|---|
| Are you **tired**? | ¿Estás **cansado**? |
| The flight is **long** | El vuelo es **largo** |
| I'm really **happy** | Estoy muy **contento** |
| It's a **beautiful** city | Es una **linda** ciudad |

# UNIDAD 3

## EN ESTA UNIDAD APRENDEREMOS:

### USEMOS EL IDIOMA
- *Saludos*
- *Invitaciones*
- *Sugerencias*
- *Nacionalidades*
- *Idiomas*

### ESTUDIEMOS LA GRAMÁTICA
- *Contracciones en negaciones*
- *Presente continuo*
- *Pronombres personales*

CIUDAD NATAL

LA FAMILIA

Bill invitó a Annie a cenar al departamento que ahora comparte con Luis.

## 1 DIÁLOGOS

**Bill:** Hi, Annie. **Come in,** please. **How are you doing?**
**Annie:** I'm fine, and you?

Bill: Hola, Annie. Pasa, por favor. ¿Cómo estás?
Annie: Bien, ¿y tú?

**B:** I'm O.K, thanks. **I'm watching** tv
**A:** And Luis? **Is he sleeping?**

B: Yo estoy bien, gracias. Estoy mirando televisión.
A: ¿Y Luis? ¿Está durmiendo?

**B:** No, **he isn't.** He's in the kitchen. Luis, Annie's here!
**Luis:** Oh, hi Annie, **how's it going?**

B: No. Está en la cocina. ¡Luis, Annie está aquí!
Luis: Oh, hola Annie, ¿Cómo va todo?

**A:** Very well, and you? Are you still tired?
**L:** No, **I'm not tired** now. I'm fine.

A: Muy bien, ¿y tú? ¿Estás cansado todavía?
L: No, ahora no estoy cansado. Estoy bien.

**B:** Let's take a seat!
**A:** Bill, **are** you **cooking** dinner?

B: ¿Nos sentamos?
A: Bill, ¿estás cocinando la cena?

**B:** No, **I'm not.** Luis **is cooking** a typical Mexican dish.
**A:** Oh, I love **Mexican** food! ¡Me encanta!

B: No. Luis está cocinando un plato típico mexicano.
A: ¡Ah, me encanta la comida mexicana!

L: Hey, you speak **Spanish!**
A: Un poco. A little. I'm **studying** Spanish at the university.

L: ¡Hey, tú hablas **español!**
A: Un poco. **Estoy estudiando** español en la universidad.

L: Only Spanish?
A: No, I'm also **studying Italian** and **German**.

L: ¿Sólo español?
A: No, también **estoy estudiando** italiano y alemán.

L: Well, I teach you Spanish and you teach **me English!**
A: **Sounds good!**

L: Bien ¡yo te enseño español y tú me enseñas inglés!
A: ¡Suena bien!

B: Who is going to help **me** with the food here?
L: I'm coming! I'm coming!

B: ¿Quién me ayuda con la comida aquí?
L: ¡**Ya voy,** ya voy!

**a. Greetings - Saludos:** veamos otras opciones

| How are you doing? | ¿Cómo estás? |
| How is it going? | ¿Cómo va todo? |
| How are things? | ¿Cómo están las cosas? |
| Hello, there! | ¡Hola! |

**b.** Cuando **invitas a alguien a tu casa** estas frases pueden ser útiles:

Come in, please
Come on in, please
} Pasa, por favor

**c.** Cuando **sugieres hacer algo**, puedes usar **let's (let us: permítenos)** de esta forma:

| | take a seat | ¿Nos sentamos? |
| **Let's** | watch a movie | ¿Miramos una película? |
| | look at some photos | ¿Miramos algunas fotos? |

**d.** Algunos países y sus nacionalidades e idiomas. Fíjate que siempre se escriben con letra mayúscula:

**1) Países en los cuales la nacionalidad y el idioma se dicen igual:**

| Country (País) | Nationality (Nacionalidad) | Language (Idioma) |
|---|---|---|
| England (Inglaterra) | English (Inglés/a) | English (Inglés) |
| Spain (España) | Spanish (Español/a) | Spanish (Español) |
| Germany (Alemania) | German (Alemán/a) | German (Alemán) |
| Japan (Japón) | Japanese (Japonés/a) | Japanese (Japonés) |
| China (China) | Chinese (Chino/a) | Chinese (Chino) |
| Italy (Italia) | Italian (Italiano/a) | Italian (Italiano) |

**2) Países en los cuales la nacionalidad y el idioma se dicen de manera diferente:**

| Country (País) | Nationality (Nacionalidad) | Language (Idioma) |
|---|---|---|
| Colombia | Colombian (Colombiano/a) | Spanish (Español) |
| United States | American (Norteamericano) | English (Inglés) |
| Venezuela | Venezuelan (Venezolano) | Spanish (Español) |
| Puerto Rico | Puerto Rican (Puertorriqueño/a) | Spanish (Español) |
| Brazil | Brazilian (Brasileño/a) | Portuguese (Portugués) |
| Mexico | Mexican (Mexicano/a) | Spanish (Español) |

**e.** Fíjate en esta frase que se usa en el idioma coloquial:

**I'm coming!** (¡Ya voy!) ●—— Cuando alguien te llama, por ejemplo, desde otro lugar de la casa

**a.** Las contracciones pueden aplicarse también en las negaciones. Existen dos maneras de formar las contracciones con todos los pronombres, excepto con **I**:

| | | | |
|---|---|---|---|
| I am not | I'm not | I'm not Spanish | Yo **no soy** español |
| You are not | You're not / You aren't | You aren't tired | Tú **no estás** cansado |
| She is not | She's not / She isn't | She's not in the kitchen | Ella **no está** en la cocina |
| He is not | He's not / He isn't | He isn't Italian | Él **no es** italiano |
| It is not | It's not / It isn't | It's not my car | **No es** mi automóvil |
| We are not | We're not / We aren't | We aren't Canadian | Nosotros **no somos** canadienses |
| You are not | You're not / You aren't | You're not tired | Ustedes **no están** cansados |
| They are not | They're not / They aren't | They aren't Spanish | Ellos **no son** españoles |

**b.** Los tiempos verbales nos sirven para expresar en qué momento están sucediendo las acciones de las que hablamos. El primero que estudiaremos se llama: **Present Continuous** (Presente Continuo). Se forma con el verbo **to be** + otro **verbo** que termina en **-ing**:

I am | watch | ing tv

To be + watch + ing

Estoy mirando televisión

---

Se usa para indicar **acciones que están ocurriendo en el momento en que se está hablando**:

Luis **is cooking** dinner   Luis **está cocinando** la cena

---

Podemos usarlo con estas expresiones: **now** (ahora) y **right now** (en este momento):

Luis **is cooking** dinner **right now**   Luis **está cocinando** la cena **en este momento**

---

Y para indicar **acciones que están ocurriendo en un período más extendido de tiempo** (hoy, esta semana, este mes, este año):

I **am studying** English   Estoy **estudiando** inglés

---

Podemos usarlo con estas expresiones:

**this week** (esta semana)   **this month** (este mes)
**these days** (estos días)   **this year** (este año)

## Afirmaciones

I **am studying** (Yo estoy estudiando)

You **are studying** (Tu estás estudiando)

He **is studying** (El está estudiando)

She **is studying** (Ella está estudiando)

It **is studying**

We **are studying** (Nosotros estamos estudiando)

You **are studying** (Ustedes están estudiando)

They **are studying** (Ellos están estudiando)

**Negaciones :** se forman agregando **not** entre el verbo **to be** y el otro verbo:

I **am not** studying (Yo **no estoy** estudiando)    We **are not** studying (Ellos **no están** estudiando)

You **are not** studying (Tu **no estás** estudiando)    You **are not** studying (Ustedes **no están** estudiando)

He **is not** studying (El **no está** estudiando)    &#125;

She **is not** studying (Ella **no está** estudiando)    &#125;  They **are not** studying (Ellos **no están** estudiando)

It **is not** studying    &#125;

**Preguntas:** Se forman colocando primero el verbo **to be**, después el pronombre y luego el otro verbo + **ing**:

**Am I** studying? (¿Estoy yo estudiando?)    **Are we** studying? (¿Estamos nosotros estudiando?)

**Are you** studying? (¿Estás tu estudiando?)    **Are you** studying? (¿Están ustedes estudiando?)

**Is he** studying? (¿Está él estudiando?)

**Is she** studying? (¿Está ella estudiando?)    **Are they** studying? (¿Están ellos estudiando?)

**Is it** studying?

**c.** Los **pronombres objeto** son pronombres personales que se usan **después del verbo:**

| Pronombre Sujeto (delante del verbo) | Pronombre Objeto (después del verbo) |
|---|---|
| I (yo) | **me** (me-a mí) |
| You (tú) | **you** (te-a ti) |
| He (él) | **him** (le-lo-a él) |
| She (ella) | **her** (le-la-a ella) |
| It (ello) | **it** (le-lo-a ello) |
| We (nosotros/as) | **us** (nos-a nosotros/tras) |
| You (Ustedes) | **you** (a ustedes) |
| They (Ellos/as) | **them** (a ellos/as-les-las-los) |

You are teaching **me** English    Tú **me** estás enseñando inglés **(a mi)**

I am teaching **you** Spanish    Yo **te** estoy enseñando español **(a ti)**

He is showing **her** some photos    Él **le** está mostrando **a ella** algunas fotos

She is helping **him**    Ella **lo** está ayudando **(a él)**

I know **it**    Yo **lo** sé

We are teaching **you** English    Nosotros **les** estamos enseñando (a ustedes) inglés

You are helping **us**    Ustedes **nos** están ayudando **(a nosotros)**

I am showing **them** a photo    Yo **les** estoy mostrando **a ellos** una foto

# UNIDAD 4

## EN ESTA UNIDAD APRENDEREMOS:

### USEMOS EL IDIOMA
- Familia
- La cara
- Describir partes de la cara
- Preguntar edad
- Números del 1 al 50

### ESTUDIEMOS LA GRAMÁTICA
- "To have" y pertenencia
- "Be like" y "look like"
- Artículo indefinido ("a/an")
- Adjetivos: personalidad y aspecto físico

**ORÍGENES
COMPOSICIÓN
FAMILIAR**

Después de cenar, Luis, Annie y Bill miran fotos familiares y hablan de sus orígenes y sus familias.

## 1 DIÁLOGOS

**Luis:** Look, I **have** some photos of my family.
**Annie:** Great! I love photos.

Luis: Miren, **tengo** algunas fotos de mi familia.
Annie: ¡Fantástico! Me encantan las fotos.

**L:** This is my **father**, Antonio. And this is my **mother**. **Her** name's Amparo.

L: Este es mi padre, Antonio. Y esta es mi madre, su nombre es Amparo.

**A:** Wow, you **look like** your **father!** **His hair**... and **his eyebrows**... And your **mother** is very beautiful.

A: ¡Guau, te pareces a tu padre! Su cabello... y sus cejas... Y tu madre es muy bonita.

**L:** Oh, yes! And she's a very **nice** person, too. This is Andrés, my brother. He's very **tall** and **thin**. And very **funny!**

L: ¡Ah, sí! Y es una persona encantadora también. Este es Andrés, mi hermano. Es muy alto y flaco. ¡Y muy divertido!

**A:** And this girl with **curly hair** and **big brown eyes?**
**L:** She's Rosa, my **sister.**

A: ¿Y esta chica con cabello enrulado y ojos grandes marrones?
L: Es Rosa, mi hermana.

**A: How old is she?**
**L: She's 18.** She's a very **sweet** and **intelligent** girl. And you, Annie? **Tell me about your family.**

A: ¿Cuántos años tiene?
L: Tiene 18 años. Es una chica muy dulce e inteligente. ¿Y tú, Annie? Cuéntame sobre tu familia.

**A:** Well, my **parents** live in Seattle, my hometown. And I have **a brother. His** name's Patrick and **he's 23 years old.** I have **a** photo... here you are.

A: Bueno, mis **padres** viven en Seattle, mi ciudad natal. Y tengo **un hermano.** Su nombre es Patrick y **tiene** 23 años. Tengo **una** foto... aquí tienes.

**L:** You **look like** your **father** too. **Fair hair**… and **blue eyes**…
**A:** Yes, but I **am like** my **mother, cheerful** and a little **absent-minded.**

L: Tú también te **pareces** a tu padre. **Cabello rubio**... y **ojos azules**...
A: Sí, pero **soy** como mi **madre,** alegre y un poco **distraída.**

**Bill:** Well, **guys,** this conversation is very interesting but **let's watch a movie,** O.K?

Bill: Bueno, **chicos,** esta conversación es muy interesante pero, ¿**miramos una película**?

**A and L:** Great idea!

A y L: ¡Buena idea!

# 2 USEMOS EL IDIOMA

## a. Hablemos **de la familia**

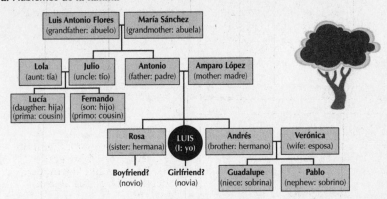

| | |
|---|---|
| **Luis Antonio Flores** (grandfather: abuelo) | **María Sánchez** (grandmother: abuela) |

**Lola** (aunt: tía)   **Julio** (uncle: tío)   **Antonio** (father: padre)   **Amparo López** (mother: madre)

**Lucía** (daugther: hija) (prima: cousin)   **Fernando** (son: hijo) (primo: cousin)

**Rosa** (sister: hermana)   **LUIS** (I: yo)   **Andrés** (brother: hermano)   **Verónica** (wife: esposa)

**Boyfriend?** (novio)   **Girlfriend?** (novia)   **Guadalupe** (niece: sobrina)   **Pablo** (nephew: sobrino)

## b. Pidámosle a alguien que nos **cuente sobre su familia:**

**Tell me about** your family          **Cuéntame sobre** tu familia

## c. Partes de la cara:

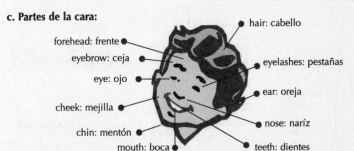

forehead: frente
eyebrow: ceja
eye: ojo
cheek: mejilla
chin: mentón
mouth: boca

hair: cabello
eyelashes: pestañas
ear: oreja
nose: naríz
teeth: dientes

## d. Puedes **describir las partes de la cara** de esta forma:

| | |
|---|---|
| **Hair (cabello):** | black (negro)  brown (castaño)  blonde (rubio)  red (pelirrojo)  curly (enrulado)  wavy (ondulado)  straight (lacio)  long (largo)  short (corto) |
| **Eyes (ojos):** | blue (azul)  light blue (celeste)  brown (marrón)  green (verde)  big (grande)  small (pequeño) |

## e. Cuando **te diriges a un grupo de gente de manera informal**, puedes usar la palabra **guys**, que quiere decir chicos/chicas/gente y es muy común en el lenguaje de todos los días:

Well, **guys**, this conversation is very interesting but let's watch a movie, o.k?
(Bill les está hablando a Luis y a Annie.)

**f.** Para **preguntar la edad y para decirla**, debes usar el verbo **to be,** mientras que en español usamos el verbo tener:

How old **are** you?   ¿Cuántos años **tienes** tú?

I**'m** 23 years old
I**'m** 23 } **Tengo** 23 años.

**g.** Los números del 1 al 50:

| | | | | | |
|---|---|---|---|---|---|
| 1 one | 6 six | 11 eleven | 16 sixteen | 21 twenty-one | 26 twenty-six |
| 2 two | 7 seven | 12 twelve | 17 seventeen | 22 twenty-two | 27 twenty-seven |
| 3 three | 8 eight | 13 thirteen | 18 eighteen | 23 twenty-three | 28 twenty-eight |
| 4 four | 9 nine | 14 fourteen | 19 nineteen | 24 twenty-four | 29 twenty-nine |
| 5 five | 10 ten | 15 fifteen | 20 twenty | 25 twenty-five | 30 thirty |
| | | | | | 40 forty |
| | | | | | 50 fifty |

# 3 ESTUDIEMOS LA GRAMÁTICA

**a.** El verbo **to have (tener)**:
Fíjate cómo se usa **has** en vez de **have** con he/she/It.

I **have** (Yo tengo)                         You **have** (Ustedes tienen)
You **have** (Usted tiene/Tú tienes)
He **has** (Él tiene)
She **has** (Ella tiene)                       } They **have** (Ellos/as tienen)
It **has** (Ello tiene)
We **have** (Nosotros/as tenemos)

**b.** En la Lección 1B estudiamos **my** y **your**, que se usan para indicar posesión. Ahora completaremos la lista de adjetivos posesivos:

**my:** mi                                          **our:** nuestro
**your:** tu/su (de usted)                     **your:** su (de ustedes)
**his:** su (de él)
**her:** su (de ella)                           } **their:** su (de ellos/as)
**its:** su (de animal o cosa)

I have a brother. **His** name's Patrick.     Tengo un **hermano**. **Su** nombre es Patrick.
This is my mother. **Her** name's Amparo.     Esta es mi **madre**. **Su** nombre es Amparo.

**c.** Comparemos estas dos expresiones:
**be like** (am/is/are) and **look like**:
**be like** (am/is/are) se usa cuando te refieres a la **personalidad** de una persona:

**I'm like** my mother, a little absent-minded
**Soy como** mi madre, un poco distraída

**look like** se usa cuando te refieres a su **aspecto físico**:

You **look like** your father
**Te pareces físicamente** a tu padre

**d.** El artículo indefinido **a** significa **un/una** y se usa cuando la palabra que sigue se escribe con consonante. Cuando la palabra que sigue comienza con vocal, se usa **an**:

| | | | |
|---|---|---|---|
| **a** restaurant | **un** restaurante | **an** uncle | **un** tío |
| **a** brother | **un** hermano | **an** American | **un/a** norteamericano/a |

**e.** Estudiemos estos adjetivos que nos ayudan a describir **la personalidad** o **el aspecto físico** de las personas:

| Personalidad | Aspecto físico |
|---|---|
| nice: agradable | tall: alto/a |
| funny: divertido/a | short: bajo/a |
| sweet: dulce | thin: delgado/a |
| intelligent: inteligente | overweight: excedido/a de peso |
| cheerful: alegre | |
| absent-minded: distraído/a | |

She's a very **nice** person          Es una persona muy **agradable**
He's very **tall**                     Él es muy **alto**
He's very **thin** and quite **funny**  Él es muy **flaco** y bastante **divertido**
She's a very **intelligent** girl       Ella es una chica muy **inteligente**

# UNIDAD 5

## EN ESTA UNIDAD APRENDEREMOS:

**USEMOS EL IDIOMA**
- *¿A qué te dedicas?*
- *Recibir invitados*
- *Invitar a sentarse*
- *Expresiones de agrado*
- *Levantar el ánimo*
- *"Week" y "weekend"*

**ESTUDIEMOS LA GRAMÁTICA**
- *Presente simple*
- *Adverbios de frecuencia*

### CENANDO CON AMIGOS

Bill, Annie y Luis se encuentran para cenar en el departamento de Annie.

## 1 DIÁLOGOS

**Annie:** Hi! **Welcome to my home! Let me take your coats.**
**Bill** and **Luis:** Here you are. Thank you.

Annie: ¡Hola! ¡Bienvenidos a mi casa!
Permítanme sus abrigos.
Bill and Luis: Aquí tienes. Gracias.

**L:** Wow! Annie, you have a beautiful apartment. **What a** nice view!

L: Annie, tienes un departamento hermoso.
¡Qué bella vista!

**A:** Oh, yes, thank you! Please, have a seat and **help yourselves** to some drinks.

A: Ah, sí, gracias. Por favor, siéntense y sírvanse algo para beber.

**L:** Thanks. **Do you cook?**

L: Gracias. ¿Tú cocinas?

**A:** (laughing) No, **I don't.** Really, I **never** cook. I **usually** eat out. But this is a special occasion.
**L:** Oh! Thanks a lot!

A: (riéndose) No, no cocino. En realidad, **nunca** cocino. Como afuera **usualmente.** Pero esta es una ocasión especial.
L: ¡Muchas gracias!

**B:** Hey, Annie! You have a lot of movies! **Do you watch** movies on weekends?

B: ¡Annie, tienes un montón de películas! ¿Miras películas los fines de semana?

A: I always watch a movie and try to relax.
B: She generally works a lot during the week, so she doesn't work on weekends. She likes to relax.

A: Siempre miro una película y trato de relajarme.
B: Ella generalmente trabaja mucho durante la semana, por eso no trabaja los fines de semana. Le gusta relajarse.

L: I see.

L: Entiendo.

A: Luis, how do you feel in San Francisco?
L: I feel a bit homesick but I'm fine.
B: Cheer up! This is your first weekend in San Francisco. We'll show you the city.

A: Luis, ¿cómo te sientes en San Francisco?
L: Me siento un poco nostálgico, pero estoy bien.
B: ¡Arriba el ánimo! Este es tu primer fin de semana en San Francisco. Te mostraremos la ciudad.

A: Dinner is ready! Let's begin with this homemade green salad.

A: ¡La cena está lista! Comencemos por esta ensalada verde casera.

**a.** Para **preguntarle a alguien cuál es su trabajo,** dirás:

| | |
|---|---|
| **What do you do?** | ¿Qué haces? ¿A qué te dedicas? |
| **What's your job?** | ¿Cuál es tu trabajo? |

**b.** Cuando **llegan invitados a tu casa**, puedes recibirlos de la siguiente manera:

**Welcome** to my home!  { ¡**Bienvenido/a** a mi casa!
¡**Bienvenidos/as** a mi casa!

**Can I take** your coats?    ¿**Pueden darme** sus abrigos?
**Let me take** your coats    **Permítanme** sus abrigos

**c.** Para **invitarlos a que se sirvan comida o bebida**, puedes decir:

**Help yourself to** some drinks, please    **Sírvete/Sírvase** algo para
beber, por favor

Singular, 1 persona

**Help yourselves to** some drinks, please    **Sírvanse** algo para beber,
por favor

Plural, más de una persona

**d.** Puedes **expresar que algo te agrada** de la siguiente manera:

**What a** nice apartment!    ¡**Qué** hermoso departamento!
beautiful view!    bella vista!
delicious dinner!    cena deliciosa!

**e.** Fíjate en esta expresión que se usa para **levantarle el ánimo a una persona:**
**Cheer up!**    ¡**Arriba el ánimo!**

**f.** Las palabras **week** (semana) y **weekend** (fin de semana)

I work a lot **during the week**    Yo trabajo mucho **durante la semana**
This is your first **weekend** here    Este es tu primer **fin de semana** aquí

**a.** El tiempo Presente Simple **(Simple Present)** se usa:

- para describir **hábitos o rutinas**:

| | |
|---|---|
| He **plays** basketball | Él **juega** al basquetbol |
| She **works** a lot | Ella **trabaja** mucho |

-con el verbo **to be** para expresar **situaciones o estados permanentes**:

| | |
|---|---|
| She **is** very beautiful | Ella **es** muy bonita |
| My father **is** a doctor | Mi padre **es** médico |

-para expresar **posesión**, con el verbo **to have** (tener):

| | |
|---|---|
| You **have** a beautiful apartment | **Tienes** un departamento hermoso |

### Oraciones afirmativas

Se debe **agregar una -s** con **he/she/it**. Tomaremos como ejemplo el verbo **live** (vivir):

| | |
|---|---|
| I live (Yo vivo) | We live (Nosotros/as vivimos) |
| You live (Tú vives/Usted vive) | You live (Ustedes viven) |

| | |
|---|---|
| He **lives** (Él vive) | |
| She **lives** (Ella vive) | They live (Ellos viven) |
| It **lives** (Ello vive) | |

### Oraciones interrogativas

Cuando preguntamos, se usa el auxiliar **do** o **does**, que no se traduce.
En la tercera persona del singular (**he/she/it**) al usar el auxiliar **does** para hacer la pregunta, **el verbo no lleva -s**.

| | |
|---|---|
| Do I live? (¿Vivo yo?) | Do we live? (¿Vivimos nosotros/as?) |
| Do you live? (¿Vives tú/Vive usted?) | Do you live? (¿Viven ustedes?) |

Does
- he live? (¿Vive él?)
- she live? (¿Vive ella?)
- it live? (¿Vive ello?)

Do they live? (¿Viven ellos/as?)

 **El verbo no lleva -s**

### Oraciones negativas

Se usa el auxiliar en su forma negativa **do not/don't** o **does not/doesn't**.
Se traduce como "no".
En la tercera persona **he/she/it**, al usar el auxiliar, **el verbo no lleva -s**.

I **do not/don't** live (Yo no vivo)

We **do not/don't** live
(Nosotros/as no vivimos)

You **do not/don't** live (Tú no vives)

You **do not/don't** live
(Usted no vive) (Ustedes no viven)

He ⎫
She ⎬ **does not/doesn't** live
It ⎭

(Él no vive)
(Ella no vive)
(Ello no vive)

They **do not/don't** live
(Ellos/as no viven)

**El verbo no lleva -s**

Fíjate cómo el auxiliar **do not** o **does not** -en su forma contraída- se usa en las conversaciones:

| I **do not** | I **don't** | We **do not** | We **don't** |
| You **do not** | You **don't** | You **do not** | You **don't** |
| He **does not** | He **doesn't** | | |
| She **does not** | She **doesn't** | They **do not** | They **don't** |
| It **does not** | It **doesn't** | | |

**b.** Estudiemos las siguientes palabras que **nos sirven para expresar frecuencia:**

| always (100%) | siempre | | sometimes (50%) | algunas veces |
| usually | usualmente | | rarely | raramente |
| generally | generalmente | | never (0%) | nunca |
| often | a menudo | | | |

Estas palabras se llaman **adverbios** y modifican a los verbos. Se colocan por lo general delante del verbo.

I **always** cook on weekends

Yo **siempre** cocino los fines de semana

He **often** watches tv

Él **a menudo** mira televisión

We **never** go to the movies

Nosotros **nunca** vamos al cine

**Sometimes** se usa también al principio de la oración:

**Sometimes** I cook ⎫
I **sometimes** cook ⎬ **A veces** cocino

Si se usa el verbo **to be**, el adverbio se coloca **detrás del verbo:**

She's **never** happy

Ella **nunca** está contenta

He's **usually** tired

Él está **usualmente** cansado

We're **never** tired

Nosotros **nunca** estamos cansados

NIVEL 1

# NIVEL 2

NIVEL 3

NIVEL 4

NIVEL 5

NIVEL 6

# UNIDAD 6

## EN ESTA UNIDAD APRENDEREMOS:

**USEMOS EL IDIOMA**
- *Partes del día*
- *Actividad física*

**ESTUDIEMOS LA GRAMÁTICA**
- *Respuestas cortas "do" y "does"*
- *Tercera persona en verbos*
- *Gustar y disgustar*
- *Agradar y desagradar*
- *"Also" y "too"*

### PRIMER FIN DE SEMANA DE PASEO

Es viernes por la tarde. Annie, Bill y Luis se encuentran para planear el primer fin de semana de Luis en San Francisco.

## 1 DIÁLOGOS

**Annie:** Let's plan our weekend.
Luis, **what do you want to do?**
**Luis:** I **don't know.** Do you do anything special on weekends?

**Annie:** Vamos a planear nuestro fin de semana.
Luis, ¿qué quieres hacer?
**Luis:** No lo sé. ¿Ustedes hacen algo especial los fines de semana?

· · · · · · · · · · · · · · · · · · · · · · · · · · · · · · · · · · · · · · · · · · ·

**A:** It depends. I generally **go jog-ging** or **cycling** in the morning. And in the evening, I **go** to the movies or to a disco with my friends.

**A:** Depende. Yo generalmente **salgo a correr** o a **andar en bicicleta** a la mañana. Y a la noche, **voy** al cine o a una discoteca con mis amigas.

**L: How often** do you go to the movies?

**A: Four or five times** a month.

L: ¿Con qué frecuencia vas al cine?
A: Cuatro o cinco veces al mes.

**L:** And you Bill, what **do you do** on weekends?

L: Y tú Bill ¿qué haces los fines de semana?

**Bill: I surf** the Internet or **rent** movies.

Bill: Navego por Internet o alquilo películas.

**A:** And he **loves watching** football on tv!

A: ¡Y le encanta mirar fútbol americano por televisión!

**B:** Do you like **cycling**, Luis?
**L:** Yes, I really **enjoy cycling** and **swimming**.

B: ¿Te gusta andar en bicicleta, Luis?
L: Sí, disfruto mucho andar en bicicleta y nadar.

**A:** Oh, I **go swimming twice a week**. And I **love cycling**, too.

A: Yo voy a nadar dos veces por semana. Y también me encanta andar en bicicleta.

**B:** So, let's get our bycicles and go to Pier 39. There are lots of restaurants and street shows. We can see the bay and the Golden Gate.

B: Entonces, tomemos nuestras bicicletas y vayamos al Muelle 39. Hay montones de restaurantes y de espectáculos callejeros. Podemos ver la bahía y el Golden Gate.

**L:** Great!

L: ¡Fantástico!

**a.** Ahora estudiemos estas frases para referirnos a las **diferentes partes del día:**

| | | | |
|---|---|---|---|
| **in the** morning | a la mañana | **at** night | a la noche |
| afternoon | la tarde | evening | la noche |

Para **preguntar con qué frecuencia alguien realiza una actividad,** debes decir:

| | |
|---|---|
| **How often** do you play tennis? | **¿Con qué frecuencia** juegas tenis? |
| does she go swimming? | va ella a nadar? |
| do they go to the movies? | van ellos al cine? |

Para indicar una frecuencia de **una** o **dos** veces, se usa **once** o **twice:**

| | |
|---|---|
| **Once** a month | **Una vez** por mes |
| **Twice** a year | **Dos vece**s al año |
| She goes jogging **once** a week | Ella va a correr **una vez** por semana |
| They play tennis **twice** a month | Ellos/as juegan al tenis **dos veces** por mes |

Para indicar una **frecuencia mayor** se usa el **número + times** (veces):

| | |
|---|---|
| **Three times** a week | **Tres veces** por semana |
| **Four times** a day | **Cuatro veces** por día |
| He rides his bicycle **three times** a week | Él anda en bicicleta **tres veces** por semana |
| I go swimming **four times** a month | Voy a nadar **cuatro veces** por mes |

**b.** Observa los verbos que debes usar para nombrar estas actividades:

| | | |
|---|---|---|
| **go + actividad física:** | go jogging<br>swimming<br>walking | ir a correr<br>nadar<br>caminar |
| **play + deporte con pelota:** | play tennis<br>football<br>baseball<br>basketball | jugar al tenis<br>fútbol americano<br>béisbol<br>basquetbol |
| **do + actividad física:** | do yoga<br>exercise | hacer yoga<br>ejercicio |

**a.** Para dar **respuestas cortas a preguntas por sí o por no** que comienzan con **do/does**, lee los siguientes diálogos:

| | |
|---|---|
| **Do** you speak English? | ¿Hablas inglés? |
| Yes, I **do** / No, I **don't** | Sí, (lo hago) / No, (no lo hago) |

| | |
|---|---|
| **Does** she cook? | ¿Cocina ella? |
| Yes, she **does** | Sí, (lo hace) |
| No, she **doesn't** | No, (no lo hace) |

**b.** Se les agrega **-s** a la mayoría de los verbos en las oraciones afirmativas en el tiempo Presente Simple cuando se los usa con **he/she/it**:

| | |
|---|---|
| **He** works | He plays |
| **She** cooks | She enjoys |
| **It** depends | It makes |

Se agrega **-es** cuando el verbo termina en **–sh, -ch, -s, -x, -o, -z**:

| | |
|---|---|
| I wa**sh** | She wash**es** |
| You tea**ch** | He teach**es** |
| We ki**ss** | She kiss**es** |
| They rela**x** | It relax**es** |
| We **do** | He does gym |
| They **go** | He goes out |

**-y** cambia por **-ies** cuando está después de una consonante:

| | |
|---|---|
| I cry | She cr**ies** |
| I try | He tr**ies** |

**c.** Para decir qué **cosas te gustan o te disgustan** puedes usar estos verbos:

## love   like   enjoy   hate   +   sustantivo (cosa)

| | |
|---|---|
| I **love** chocolate | Me **encanta** el chocolate |
| Do you **like** pizza? | ¿Te **gusta** la pizza? |
| She **enjoys** parties | Ella **disfruta** de las fiestas |
| They **hate** salad | Ellos **odian** la ensalada |
| We **don't like** movies | **No** nos **gustan** las películas |
| He **doesn't like** coffee | A él **no** le **gusta** el café |

**d.** Para hablar de **actividades** que **te agradan** o **desagradan** debes usar:

## love   like   enjoy   hate   +   verbo   +   ing (acción)

| | |
|---|---|
| I **love** swimm**ing** | Me **encanta** nadar |
| Do you **like** jogg**ing**? | ¿Te **gusta** salir a correr? |
| She **enjoys** rid**ing** her bike | Ella **disfruta** andar en bicicleta |
| They **hate** do**ing** gym | Ellos **odian** hacer gimnasia |
| We don't **like** cook**ing** | **No** nos **gusta** cocinar |
| He doesn't **like** play**ing** tennis | A él **no** le **gusta** jugar al tennis |

**e. Also** y **too** significan **también**:

Se pueden usar delante del verbo o al final de la oración

I like movies and I **also** like reading
Me gustan las películas y **también** me gusta leer

She likes tea and she **also** likes coffee
A ella le gusta el té y **también** el café

She enjoys dancing and singing, **too**
Ella disfruta del baile y del canto **también**

She hates pizza and pasta, **too**
Ella odia la pizza y la pasta **también**

# UNIDAD 7

## EN ESTA UNIDAD APRENDEREMOS:

### USEMOS EL IDIOMA
- Preguntar sobre el trabajo
- Actividad profesional
- Expresiones de interés

### ESTUDIEMOS LA GRAMÁTICA
- Respuestas cortas con "to be"
- Hacer preguntas
- Respuestas afirmativas cortas
- Respuestas negativas cortas
- Preguntas con palabras interrogativas

**HABLANDO DE TRABAJO CON LOS AMIGOS**

Luis y Bill están desayunando y hablando sobre trabajos.

---

## 1 DIÁLOGOS

**Luis:** Hey, Bill, **are you studying?**
**Bill: Yes, I am.** But I'm tired. I need a break!

Luis: Bill, ¿estás estudiando?
Bill: Sí. Pero estoy cansado. ¡Necesito un descanso!

**L:** Here, have a cup of coffee.
**B:** Thanks a lot!

L: Aquí tienes, bebe esta taza de café.
B: ¡Muchas gracias!

**L:** Tell me about your new job. **What exactly do you do?**

L: Cuéntame sobre tu nuevo trabajo. ¿Qué haces exactamente?

**B:** **I work as** a graphic designer for Desart, an advertising company. I design ads for magazines and newspapers.

B: Trabajo como diseñador gráfico **para** Desart, una agencia de publicidad. Diseño avisos publicitarios para revistas y diarios.

**L:** **Sounds like a lot of fun!**
**B:** Yeah, I really like my job. It's very interesting.

L: ¡Suena muy divertido!
B: Sí, realmente me gusta mi trabajo. Es muy interesante.

**L:** **Do you work in an office?**
**B:** **Yes, I do.** I work in big office downtown.

L: ¿Trabajas en una oficina?
B: Sí. Trabajo en una oficina grande en el centro de la ciudad.

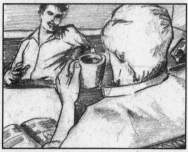

**L:** Is your job very tiring?
**B:** Yes, it is. But it's O.K.

L: ¿Es tu trabajo muy cansado?
B: Sí, lo es. Pero está bien.

**L:** I also want to study and have a job.
**B:** What kind of job are you looking for?

L: Yo también quiero estudiar y tener un trabajo.
B: ¿Qué tipo de trabajo estás buscando?

**L:** I want to study tourism, so I'm looking for a job as a tourist guide, or at a hotel… **Where can I look for a job?**

L: Yo quiero estudiar turismo, por eso estoy buscando un trabajo como guía de turismo o en un hotel... ¿Dónde puedo buscar trabajo?

**B:** Let's call Annie, she works in a travel agency. Or I can look for jobs in the job board at the university… or on the Internet… or… right here, in the newspaper!

B: Llamemos a Annie, ella trabaja en una agencia de turismo. O puedo buscar trabajos en la cartelera de avisos de trabajo en la universidad... o en Internet… ¡o… aquí mismo, en el diario!

**a.** Para **preguntarle a alguien cuál es su trabajo,** dirás:

| | |
|---|---|
| **What do you do?** | ¿Qué haces? ¿A qué te dedicas? |
| **What's your job?** | ¿Cuál es tu trabajo? |

**b.** Para contestar **de qué trabajas**, puedes decir:

**I am a**
- graphic designer
- front desk clerk
- tourist guide

**Soy**
- diseñador gráfico
- recepcionista
- guía de turismo

**I work as**
- a graphic designer
- a front desk clerk
- a tourist guide

**Trabajo como**
- diseñador gráfico
- recepcionista
- guía de turismo

y si quieres contar **para quién trabajas**, puedes decir:

**I work for**
- Desart
- the High Hills Hotel
- Travel and Fun

**Trabajo en**
- Desart
- el High Hills Hotel
- Travel and Fun

**c.** Cuando **te parece interesante algún comentario**, puedes decir

| | |
|---|---|
| **Sounds** good! | **¡Suena** bien! |
| interesting! | interesante! |
| like a lot of fun! | muy divertido! |

| | |
|---|---|
| I design ads for newspapers | Diseño anuncios para diarios |
| **¡Sounds like a lot of fun!** | **¡Suena muy divertido!** |

# 3 ESTUDIEMOS LA GRAMÁTICA

**a.** Cómo dar **respuestas cortas** a **preguntas por sí o por no** con el verbo **to be**:
**Oraciones afirmativas:**

> Debes usar el **pronombre** y el verbo **to be** sin contracciones

- **Presente Continuo:** —— Are you studying?
  Yes, **I am**

- **Presente Simple:** —— Is your job very tiring?
  Yes, **it is**

**Oraciones negativas:**

> Debes usar el **pronombre** y el verbo **to be + not.** Puedes usar contracciones

- **Presente Continuo:** —— Are you studying?
  No, **I'm not**

- **Presente Simple:** —— Is your job very tiring?
  No, **it is not** (sin contracción)
  **it's not** }
  **it isn't** } (con contracción)

**b.** Cómo hacer **preguntas por sí o por no** en Presente Simple **con todos los demás verbos:**

En este caso se usan los **auxiliares DO** y **DOES** de la siguiente manera:

| DO con los pronombres I, You, We, They | DOES con los pronombres He, She, It |
|---|---|

Fíjate el orden de las palabras en la pregunta:

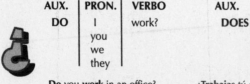

| AUX. | PRON. | VERBO |
|---|---|---|
| **DO** | I | work? |
| | you | |
| | we | |
| | they | |

| AUX. | PRON. | VERBO |
|---|---|---|
| **DOES** | he | work? |
| | she | |
| | it | |

**Do** you **work** in an office?    ¿**Trabajas** tú en una oficina?

**Do** they **study** English?    ¿**Estudian** ellos inglés?

**Does** she **live** in San Francisco?    ¿**Vive** ella en San Francisco?

**c.** Y para dar **respuestas afirmativas cortas** usas **yes**, el **pronombre** y **do/does**, según aparezcan en la pregunta:

| | |
|---|---|
| **Do** you **work** in an office? | ¿**Trabajas** tú en una oficina? |
| Yes, I **do** | Sí |
| **Do** they **study** English? | ¿**Estudian** ellos inglés? |
| Yes, they **do** | Sí |
| **Does** she **live** in San Francisco? | ¿**Vive** ella en San Francisco? |
| Yes, she **does** | Sí |

**d.** Las **respuestas negativas cortas** se forman de la siguiente manera:

**do not** o **don't**                                   **does not** o **doesn't**

**Do** you **work** in an office? No, I **don't**          ¿**Trabajas** tú en una oficina? No

**Do** they **study** English? No, they **don't**          ¿**Estudian** ellos inglés? No

**Does** she **live** in San Francisco? No, she **doesn't**          ¿**Vive** ella en San Francisco? No

**e.** Preguntas con **palabras interrogativas:**

| | | | |
|---|---|---|---|
| **What...?** | ¿Qué/Cuál...? | **Where...?** | ¿Dónde...? |
| **Which...?** | ¿Cuál...? | **When...?** | ¿Cuándo...? |
| **Who...?** | ¿Quién...? | **How...?** | ¿Cómo...? |

Las **respuestas** a estas preguntas **dan información:**

**What** is your name? My name is Luis          ¿**Cuál** es tu nombre? Mi nombre es Luis

**Where** do you live? I live in San Francisco          ¿**Dónde** vives? Vivo en San Francisco

preguntas con el verbo **to be**

| | Palabra Interrogativa | to be | sustantivo/ pronombre | |
|---|---|---|---|---|
| **Presente Simple** | Where | is | your office? | ¿Dónde está tu oficina? |

| | Palabra Interrogativa | to be | pronombre | verbo + ing | |
|---|---|---|---|---|---|
| **Presente Continuo** | What | are | you | doing? | ¿Qué estás haciendo? |

preguntas con los **demás verbos:**

| Palabra Interrogativa | do/ does | pronombre/ sustantivo | verbo | |
|---|---|---|---|---|
| Where | do | you | work? | ¿Dónde trabajas? |

# UNIDAD 8

## EN ESTA UNIDAD APRENDEREMOS:

### USEMOS EL IDIOMA
- Conocer el significado en otro idioma
- Si no has entendido algo
- Hablar de tus habilidades
- Profesiones y oficios

### ESTUDIEMOS LA GRAMÁTICA
- El verbo "can"
- "Have to"
- Adjetivos calificativos

## BUSCANDO TRABAJO EN EL DIARIO

Bill encuentra un aviso de trabajo en el diario y se lo lee a Luis.

## 1 DIÁLOGOS

**Bill:** Hey, Luis, listen to this: *"High Hills Hotel is looking for a front desk clerk. Duties: check guests in and out, answer the telephone and make reservations. Skills: good computer skills, perfect Spanish, good English"*. Sounds great, man!

Bill: Luis, escucha esto: *"High Hills Hotel está buscando un recepcionista. Tareas: registrar la entrada y salida de los huéspedes, contestar el teléfono, hacer reservas. Habilidades: buenos conocimientos de computación, perfecto español, buen inglés"*. ¡Suena bien, amigo!

**Luis:** Yes I think so, but **what does** *duties* **mean?** I don't understand.

Luis: Sí, eso creo, pero ¿qué significa *duties?* ... No entiendo...

**B:** They are the things you **have to** do in your job.

B: Son las tareas que **tienes que** hacer en tu trabajo.

**L:** Oh, I see. I **have to** check guests in and out, I **have to** answer the telephone... And... one more question... **Could you explain** *skills*?

L: Ah, ya veo. **Tengo que** registrar la entrada y salida de los huéspedes, **tengo que** contestar el teléfono... Y... una pregunta más... ¿**Podrías explicarme** *skills*?

**B:** Yes, sure. **It means** abilities, things you **can** do.

B: Sí, claro. **Significa** habilidades, cosas que **puedes** hacer.

**L:** Well, I **can** use a computer, and I **can** speak Spanish. And I have some experience as a front desk clerk.

L: Bueno, **puedo** usar una computadora y **puedo** hablar español. Y tengo algo de experiencia como recepcionista.

**L:** I am **responsible** and **hardworking**. I think **I am good at** working with people... but **I'm not very good at** speaking English! OK, **how do I apply for this job?**

**L:** Soy responsable y trabajador. Creo que soy bueno trabajando con gente, pero... ¡no soy muy bueno hablando inglés! OK ¿Cómo hago para solicitar este trabajo?

**B: You have to** send your résumé to... resume@hhhotel.com.

**B:** Tienes que enviar tu curriculum vitae a... resume@hhhotel.com.

**L:** My résumé? I don't have a résumé. I **have to** write it!

**L:** ¿Mi curriculum? Yo no tengo un curriculum ¡Tengo que escribirlo!

**B:** Let's write it right now!

**B:** ¡Escribámoslo ya mismo!

# 2 USEMOS EL IDIOMA

**a.** Para **conocer el significado de una palabra en otro idioma** puedes preguntar:

| | |
|---|---|
| **What does** skills **mean**? | ¿Qué significa skills? |
| **Could you explain** skills? | ¿Podrías explicar skills? |
| **What's the meaning of** skills? | ¿Cuál es el significado de skills? |

Y la respuesta puede ser:

**It means** abilities, things you can do    **Significa** habilidades, cosas que puedes hacer

**b. Si no has entendido algo**, puedes decir:

| | |
|---|---|
| Sorry, **I don't understand** | Disculpe, **no entiendo** |
| **Could you repeat,** please? | **Podría repetir,** por favor? |
| **Could you speak more slowly**, please? | **Podría hablar más despacio,** por favor? |

**c.** Para **hablar de tus habilidades**, puedes decir:

| | |
|---|---|
| **I'm good at** working with people | **Soy bueno** trabajando con gente |
| **I'm very good at** speaking Spanish | **Soy muy bueno** hablando español |
| **I'm not very good at** speaking English | **No soy muy bueno** hablando inglés |

**d.** Leamos esta lista de **diferentes profesiones y oficios**:

| | |
|---|---|
| **taxi/cab driver:** conductor/a de taxi | **cook:** cocinero/a |
| **security guard:** guardia de seguridad | **gardener:** jardinero/a |
| **waiter:** mesero | **doctor:** doctor/a |
| **waitress:** mesera | **architect:** arquitecto/a |
| **nurse:** enfermero/a | **chef:** chef |
| **teacher:** maestro/maestra | **doorperson:** portero/a |
| **basketball player:** jugador/a de básquet | **technician:** técnico/a |
| **accountant:** contador/a | **lawyer:** abogado/a |

**e.** Cuando hablas de un trabajo en singular debes usar **a** si la palabra que sigue empieza con consonante o **an** si empieza con vocal:

| | |
|---|---|
| He's **a** chef | Él es chef |
| I am **an** accountant | Soy contador/a |
| She's **an** architect | Ella es arquitecta |

**a. Can** se usa para describir **habilidad en el presente**, con todos los pronombres:

- **Oraciones afirmativas**

| | |
|---|---|
| I **can** use a computer | Yo **puedo** usar una computadora |
| You **can** speak English | Tú **puedes** hablar inglés |
| She **can** answer the phone | Ella **puede** contestar el teléfono |
| He **can** use a computer | Él **puede** usar una computadora |
| We **can** speak Spanish | Nosotros **podemos** hablar español |
| They **can** answer the phone | Ellos **pueden** contestar el teléfono |

**Oraciones negativas:**
Se agrega **not** después de **can**, junto o separado: **Can not** o **cannot**. Las dos formas pueden contraerse y formar **can't**:

| | |
|---|---|
| I **cannot** use a computer<br>I **can't** use a computer | **No puedo** usar una computadora |
| You **can not** speak Spanish<br>You **can't** speak Spanish | **Tu no puedes** hablar español |
| She **cannot** speak English<br>She **can't** speak English | Ella **no puede** hablar inglés |

**Preguntas y respuestas:**
para hacer preguntas se
coloca **can** al principio
de la oración:

She **can** speak Spanish.

**Can** she speak Spanish?

Para responder con respuestas cortas en afirmativo usas **can** y en negativo, **can't**:

| | |
|---|---|
| **Can** you use a computer? | ¿**Puede** usted usar una computadora? |
| Yes, I **can.** | Si, **puedo** |
| **Can** you speak Spanish? | ¿**Puede** hablar español? |
| No, I **can't** | No, no **puedo** |
| **Can** you speak English? | ¿**Puedes** hablar inglés? |
| Yes, I **can** | Sí, **puedo** |

**b.** Para expresar **algo que tienes que hacer**, se usa **have to** (tener que), de la siguiente manera:

| | | | |
|---|---|---|---|
| I **have to** work | Yo **tengo que** trabajar | We **have to** work | Nosotros/as **tenemos que** trabajar |
| You **have to** work | Tú **tienes que/** Usted **tiene que** trabajar | You **have to** work | Ustedes **tienen que** trabajar |
| She **has to** work | Ella **tiene que** trabajar | They **have to** work | Ellos/as **tienen que** trabajar |
| He **has to** work | Él **tiene que** trabajar | | |

Para hacer preguntas usas **do/does + have to**:

| | | |
|---|---|---|
| You **have to** work | **Do** you **have to** work? | ¿**Tienes** tú **que** trabajar? |
| She **has to** answer the phone | **Does** she **have to** answer the phone? | ¿**Tiene** ella **que** contestar el teléfono? |
| He **has to write** his résumé | **Does** he **have to** write his résumé? | ¿**Tiene** él **que** escribir su curriculum vitae? |

Para contestar con **respuestas cortas**, debes usar **do/does don't/doesn't**:

| | |
|---|---|
| **Do** you **have to** work? | Yes, I **do** / No, I **don't** |
| ¿**Tienes** que trabajar? | Si, tengo / No, no tengo |

**c.** Estudiemos algunos **adjetivos para describir las características de los trabajos:**

interesting: interesante  difficult: difícil  safe: seguro  tiring: cansador
dangerous: peligroso  boring: aburrido  easy: fácil  relaxing: relajado

podemos usarlos de la siguiente manera:

| Delante del sustantivo | Después del verbo **to be** |
|---|---|
| I have an **interesting** job Tengo un trabajo **interesante** I have a **dangerous** job Tengo un trabajo **peligroso** | My job is **interesting** Mi trabajo es **interesante** My job is **dangerous** Mi trabajo es **peligroso** |

**d.** Otros adjetivos para **describir a las personas en relación con su trabajo:**

hardworking: trabajador  reliable: confiable  friendly: cordial
creative: creativo  loyal: leal  responsible: responsable
patient: paciente  efficient: eficiente

A reliable worker  He is very reliable
Un trabajador confiable  Él es muy confiable

# UNIDAD 9

## EN ESTA UNIDAD APRENDEREMOS:

### USEMOS EL IDIOMA
- El alfabeto
- Lenguage telefónico
- Números telefónicos
- Días de la semana

### ESTUDIEMOS LA GRAMÁTICA
- Pedidos
- Pedidos formales
- Deletrear
- Tomar y dejar mensajes

---

### LLAMANDO POR TELÉFONO PARA UN TRABAJO

Bill recibe un llamado para Luis del Hotel High Hills.

---

## 1 DIÁLOGOS

(The phone rings)
**Bill:** Hello?

(Suena el teléfono)
Bill: ¿Hola?

...................................................

**Secretary:** Good morning. **I'd like** to speak to Luis Flores, please.

Secretaria: Buen día. Quisiera hablar con Luis Flores, por favor.

**B: Who's calling?**
S: I'm calling from the High Hills Hotel about a job as front desk clerk. He sent us his résumé.

B: ¿Quién le llama?
S: Llamo del Hotel High Hills sobre un trabajo como recepcionista. Él nos envió su curriculum vitae.

**B: Oh, yes… Luis is my friend… I'm sorry, but he's not here right now. Can I take a message?**

B: Ah, sí… Luis es mi amigo… Lo siento, pero él no se encuentra aquí en este momento. ¿Puedo tomar un mensaje?

**S: Yes, please. Could you tell him to call Brenda Turlington? She'd like to have an interview with him on Thursday or Friday.**

S: Sí, por favor. ¿Podría decirle que llame a Brenda Turlington? Ella quisiera tener una entrevista con él el jueves o el viernes.

**B: Hold on, please. I'll get some paper and a pen.**
**S: Sure.**
**B: Can you spell her last name please?**

B: Espere, por favor. Traeré papel y un bolígrafo.
S: Seguro.
B: ¿Puede deletrear su apellido, por favor?

S: Yes, that's T-U-R-L-I-N-G-T-O-N.
B: Is that D-O-N or T-O-N?
S: That's T **as in** Tango.

S: Sí, es T-U-R-L-I-N-G-T-O-N.
B: ¿Es D-O-N o T-O-N?
S: Es T como en Tango.

B: Right. Brenda Turlington. **Could** you give me her phone number, please?

B: Bien. Brenda Turlington. ¿**Podría** darme su número de teléfono por favor?

S: **Certainly**. It's (415) 104-9942. Extension 417.
B: (415) 104-9942... Extension 417. I'll give him the message as soon as he comes back.

S: Seguro. Es (415) 604-9942. Interno 417.
B: (415) 604-9942... Interno 417. Le daré el mensaje apenas regrese.

S: Thank you. Bye.

S: Gracias. Adiós.

**a. The Alphabet** - El Alfabeto
**Spelling** - Deletrear

Presta atención a cómo se dicen las letras del alfabeto. Deberás aprenderlas para, entre otras cosas, deletrear tu nombre o entender cuando otra persona deletrea el suyo.

| A (ei) | B (bi) | C (si) | D (di) | E (i) | F (ef) | G (shi) | H (eich) | I (ai) | J (shei) | K (kei) | L (el) | M (em) |
| N (en) | O (ou) | P (pi) | Q (kiu) | R (ar) | S (es) | T (ti) | U (iu) | V (vi) | W (dábliu) | X (eks) | Y (wai) | Z (zi) |

**b. Phone language** - Lenguaje telefónico

Para **pedir hablar con alguien**, debes decir:

| | |
|---|---|
| **I'd like to** speak to Luis, please | **Quisiera** hablar con Luis, por favor |
| **Could I** speak to Luis Flores, please? | **¿Podría** hablar con Luis Flores, por favor? |
| **Can I** speak to Luis? | **¿Puedo** hablar con Luis? |

Para **preguntar quién llama:**

| | |
|---|---|
| **Who**'s calling? | **¿Quién** llama? |

Si quieres pedirle a la persona con quien hablas **que espere en línea**, dirás:

| | |
|---|---|
| **Hold on**, please | **Espere/No corte**, por favor |
| **Hold on** a moment, please | **Espere** un momento, por favor |
| Could you **hold** a minute? | **¿Podría esperar** un minuto? |

**c. Phone numbers** - Los números telefónicos:
Para buscar un número telefónico puedes usar la Guía Telefónica: **Phone Directory**, o llamar a Información: **Directory Assistance.**

Para **preguntar por un número telefónico** dices: What's your phone number? y te **responderán:** It's (405) 192-7366

| Puedes decir "0" de dos formas | four-**zero**-five-one-nine-two-three-seven-six-six |
|---|---|
| | four-**oh**-five-one-nine-two-three-seven-six-six |

**d. Days of the week** - Los días de la semana.
Se escriben siempre con mayúscula.

| **Monday** (lunes) | **Tuesday** (martes) | **Wednesday** (miércoles) | **Thursday** (jueves) | **Friday** (viernes) | **Saturday** (sábado) | **Sunday** (domingo) |
|---|---|---|---|---|---|---|

# 3 ESTUDIEMOS LA GRAMÁTICA

**a. Requests** - Pedidos
Cuando necesitas **pedir algo** debes usar estos auxiliares:

| **Can** (¿Puede/s?) más informal | **Could** (¿Podría/s?) más formal |
|---|---|

**Can** you spell your last name?    ¿**Puedes** deletrear tu apellido?
**Could** you give me her phone number, please?    ¿**Podría** darme su número de teléfono, por favor?

El orden en que armas la frase es el siguiente :

| Auxiliar | Pronombre sujeto | Verbo | (Pronombre objeto) | (Complemento) | (Por favor) |
|---|---|---|---|---|---|
| Can | you | take | | a message, | please? |
| Could | you | tell | me | your phone number? | |

Las respuestas **afirmativas** pueden ser:

Más formal ●—— **Certainly.** It's T-u-r-l-i-n-g-t-o-n.    **Seguro.** Es T-u-r-l-i-n-g-t-o-n.
**Of course**    **Por supuesto**

Más informal ●—— **Sure.** It's (434) 175-5674    **Seguro.** It's (434) 175-5674

y si es **negativa:**    I'm sorry, I **can't**    Lo siento, no **puedo**

Veamos algunos ejemplos:

**Could** you tell me your e-mail address?    ¿**Podrías** decirme tu dirección de correo electrónico?

**Could** you speak more slowly?    ¿**Podría** hablar más despacio, por favor?

**Can** you repeat that?    ¿**Puede** repetir eso?
**Can** you hold?    ¿**Puedes** esperar en línea?
**Could** you repeat your last name?    ¿**Podría** repetir su apellido?

**b.** Otra manera de **hacer un pedido** o **expresar** en forma **amable algo que uno necesita o quiere hacer** es usando **I would like** (quisiera / me gustaría), generalmente en su forma contraída **I'd like.**

| | |
|---|---|
| **I'd like** to speak to Brenda, please | **Quisiera** hablar con Brenda, por favor |
| **She'd like** to have an interview with him | A ella le **gustaría** tener una entrevista con él |
| **I'd like** to leave a message | **Quisiera** dejar un mensaje |

**c.** A veces, cuando deletreas una palabra, hay letras que suenan muy parecidas o que pueden causar confusión. Cuando esto suceda, puedes aclararlo de la siguiente manera:

| | |
|---|---|
| d **as in** Delta | d **como** en Delta |
| t **as in** Tango | t **como** en Tango |
| i **as in** India | i **como** en India |

Puedes usar tu propia lista de palabras de referencia, siempre que sean palabras comunes que todos conozcan.

Could you spell your name, please? (¿Puedes deletrear tu nombre?)

Yes, that's Spears. S **as in** Susan, P **as in** Paul, E **as in** Eleanor, A **as in** Anna, R **as in** Robert
(Sí, es Spears. S **como en** Susan, P **como en** Paul, E **como en** Eleanor, A **como en** Anna y R **como en** Robert.)

**d.** Los verbos **take** (tomar) y **leave** (dejar) en el lenguaje telefónico:

Cuando **te ofreces** a tomar un mensaje, usas **take:**

| | |
|---|---|
| Can I **take** a message? | ¿Puedo **tomar** un mensaje? |

Cuando **preguntas si puedes** dejar un mensaje, usas **leave:**

| | |
|---|---|
| Can I **leave** a message? | ¿Puedo **dejar** un mensaje? |

# UNIDAD 10

## EN ESTA UNIDAD APRENDEREMOS:

### USEMOS EL IDIOMA
- *Lenguaje telefónico*
- *La hora*
- *Los meses del año*

### ESTUDIEMOS LA GRAMÁTICA
- *Preposiciones ("in, on, at")*
- *Artículos ("a, an, the")*

---

**CONVERSACIONES TELEFÓNICAS**

Cuando Luis regresa al departamento, Bill le cuenta sobre el llamado.

---

## 1 DIÁLOGOS

**Bill:** Listen, I have some good news for you! They called you from **the** High Hills Hotel. They want to have an interview with you, buddy.

Bill: Oye, ¡tengo buenas noticias para ti! Te llamaron del Hotel High Hills. Quieren tener una entrevista contigo, amigo.

**Luis:** You're kidding.
**B:** I'm not kidding. Here's **the** name and **the** phone number. Call them right now!

Luis: Estás bromeando.
B: No estoy bromeando. Aquí está el nombre y el número de teléfono. ¡Llámalos ya!

**L:** Oh, my God. It's true! (Luis dials the number)

L: ¡Dios mío! ¡Es verdad! (Luis disca el número)

**Operator:** High Hills Hotel, how can I help you?
**L:** I'd like to speak to… Brenda Turlington, please.

Operador: Hotel High Hills, ¿en qué puedo ayudarlo?
L: Quisiera hablar con… Brenda Turlington, por favor.

**O:** Just a moment, I'll put you through.
**Brenda:** Hello?
**L:** Hello. Could I speak to Brenda Turlington, please?

O: Un momento, lo comunico.
Brenda: ¿Hola?
L: Hola. ¿Podría hablar con Brenda Turlington, por favor?

**BT:** Speaking.
**L:** **This is** Luis Flores. **I'm calling about the** interview for front desk clerk…

BT: Habla ella.
L: Habla Luis Flores. Llamo por la entrevista para recepcionista…

BT: Oh, yes, Mr. Flores. Let me see… **Is** 4 o'clock **on Thursday O.K**? Or **Friday, at** 11:30?

BT: Ah, sí, señor Flores. Déjeme ver… ¡Le queda bien el jueves a las 4? ¡O el viernes a las 11:30?

L: Uh… I prefer **Thursday.**
BT: Right.

L: Eh,… prefiero el jueves.
BT: Bien.

L: Could you tell me **the address,** please?
BT: Sure. It's 714 Geary Street. G-E-A-R-Y.
L: Fine.

L: ¿Podría decirme la dirección, por favor?
BT: Seguro. Es Geary Street 714. G-E-A-R-Y.
L: Muy bien.

BT: So, see you **on** Thursday **at** 4 o'clock. Thank you for calling. Goodbye.
L: Goodbye.

BT: Entonces, lo veo el jueves a las 4. Gracias por llamar. Adiós.
L: Adiós.

# 2 USEMOS EL IDIOMA

**a. Phone language -** Lenguaje telefónico:

Cuando pides hablar con una persona, **al transferir el llamado te dirán:**

| | |
|---|---|
| Just a moment, **I'll put you through** | Un momento, **lo comunico** |
| Just a minute, **I'll transfer your call** | Un minuto, **transfiero su llamada** |

Cuando pides hablar con alguien y esa persona es la que atendió el teléfono, o cuando piden hablar contigo y tú has atendido el teléfono, dirás:

| | |
|---|---|
| Speaking | Habla él/ella |
| Could I speak to Brenda Turlington?<br>Speaking | ¿Podría hablar con Brenda Turlington?<br>Habla ella |
| I'd like to speak to Luis Flores.<br>Speaking | Quisiera hablar con Luis Flores.<br>Habla él |

**Para decir quién eres por teléfono,** no dices **I am** sino **this is:**

| | |
|---|---|
| **This is Luis Flores** | **Soy** Luis Flores / **Habla** Luis Flores. |

Para **indicar la razón de tu llamado,** puedes decir:

| | |
|---|---|
| **I'm calling about** an interview<br>a job offer | **Llamo por** una entrevista<br>una oferta de trabajo |

**b. The time -** La hora.
Para **preguntar la hora,** dices: **What time** is it? ¿**Qué** hora es?

| **a quarter to**<br>(menos cuarto) | **o'clock**<br>(en punto) | **a quarter after**<br>(y cuarto) | **half past**<br>(y media) |

Excepto la hora en punto (o'clock), tienes dos maneras de decir la hora:

    a. usando **after** (y), **half past** (y media) y **to** (menos) - en estos casos los minutos se dicen primero.

    b. leyendo los números en el orden en que aparecen:

| | | | |
|---|---|---|---|
| **It's** three o'clock | 3:00 | **Son** las tres | |
| a) ten **after** three<br>b) three ten | 3:10 | tres y diez | |
| a) a quarter **after** three<br>b) three fifteen | 3:15 | tres y cuarto |  |
| a) twenty **after** three<br>b) three twenty | 3:20 | tres y veinte | |
| a) **half past** three<br>b) three thirty | 3:30 | tres y media | |
| a) twenty-five **to** four<br>b) three thirty-five | 3:35 | cuatro **menos** veinticinco | |
| a) a quarter **to** four<br>b) three forty-five | 3:45 | cuatro **menos** cuarto | |

**a.m.: antes de las 12 del mediodía      p.m.: después de las 12 del mediodía**

**c. Months of the year** - Los meses del año.
Se escriben siempre con mayúscula.

Enero

Marzo

Mayo

Febrero

Abril

Junio

Julio

Septiembre

Noviembre

Agosto
Octubre
Diciembre

## 3 ESTUDIEMOS LA GRAMÁTICA

**a.** Las preposiciones de tiempo **in, on** y **at:**

| In | se usa con los meses del año:<br>**In** December, **in** March | **En** diciembre, **en** marzo |
|---|---|---|
| On | se usa con los días de la semana:<br>**On** Monday, **on** Tuesday | El lunes, **el** martes |
| At | se usa con la hora:<br>**At** three o'clock, **at** ten fifteen | **A** las tres, **a** las diez y cuarto |

**b. Los artículos a** (un/una) y **the** (el-la/los-las):

Se usa **a** cuando **no nos referimos a alguien o algo en especial** o **cuando mencionamos algo por primera vez**:

| | |
|---|---|
| She'd like to have **an** interview with him | Ella quisiera tener **una** entrevista con él |
| I'll get **a** pen | Conseguiré **un** bolígrafo |
| Can I take **a** message? | ¿Puedo tomar **un** mensaje |

También se usa **con los trabajos**:

| | |
|---|---|
| He's **an** architect | She's **a** nurse |

Se usa **the** cuando **está claro a qué nos referimos**, ya sea porque se mencionó antes en la conversación o porque se sobreentiende:

Here's **the** name and **the**
phone number
Aquí está **el** nombre y **el** número
(se sabe de qué nombre y número
se está hablando)

I'm calling about **the** interview
Llamo por **la** entrevista
(se sabe de qué entrevista
se está hablando)

Could you tell me **the** address, please?
¿Podría decirme **la** dirección, por favor?
(se sabe qué dirección se está solicitando)

Cuando **la persona, lugar o cosa es única**:

| | |
|---|---|
| **the** sun el sol | **the** world el mundo |
| **the** sea el mar | **the** capital of Australia **la** capital de Australia |
| **the** moon **la** luna | **the** President of the U.S.A **el** Presidente de EE.UU |

Con **instrumentos musicales y la radio**:

**the** piano    **the** guitar    **the** radio

He plays **the** piano very well  El toca **el piano** muy bien
I never listen to **the** radio  Nunca escucho **la** radio

Con los nombres de **hoteles, restaurantes, museos, teatros**:

**the** High Hills Hotel      **the** Mexican Museum      **the** Magic Theater

**c. No se usa artículo** en los siguientes casos:

| | |
|---|---|
| • **television** | I like to watch **television** |
| • **breakfast/lunch/dinner** (desayuno/almuerzo/cena) | I'm having **dinner** |
| • **days of the week** (días de la semana) | I play tennis on **Wednesdays** |
| • **the time** (la hora) | It's **three o'clock** |

NIVEL 1

NIVEL 2

NIVEL 3

NIVEL 4

NIVEL 5

NIVEL 6

# UNIDAD 11

## EN ESTA UNIDAD APRENDEREMOS:

### USEMOS EL IDIOMA
- Cómo llegar a un lugar
- Dónde queda un lugar
- Números 60 a 900
- El cero
- Despedidas
- Medios de transporte

### ESTUDIEMOS LA GRAMÁTICA
- El Imperativo (dar órdenes)
- Indicar cómo llegar a un lugar

**MOVIÉNDOSE POR LA CIUDAD**

Luis tiene su entrevista de trabajo y le pregunta a Bill cómo llegar allí.

## 1 DIÁLOGOS

**Luis:** Say, Bill, **how can I get to** the High Hills Hotel?
**Bill:** **Where** is it?
**L:** It's **at...** 714 Geary Street.

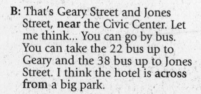

Luis: Dime, Bill, ¿cómo puedo llegar al High Hills Hotel?
Bill: ¿Dónde está?
L: Está en... Geary Street 714.

**B:** That's Geary Street and Jones Street, **near** the Civic Center. Let me think... You can go by bus. You can take the 22 bus up to Geary and the 38 bus up to Jones Street. I think the hotel is **across from** a big park.

B: Eso es Geary Street y Jones Street, cerca del Centro Cívico. Déjame pensar... Puedes ir en autobús. Puedes tomar el autobús 22 hasta Geary y el autobús 38 hasta Jones Street. Creo que el hotel está enfrente de un gran parque.

**L:** Is it **far from** here?
**B:** No, just ten minutes.
**L:** **Where's** the bus stop?

L: ¿Es lejos de aquí?
B: No, sólo diez minutos.
L: ¿Dónde está la parada de autobuses?

**B:** Oh, it's near. **Walk to the corner and turn left.** Go straight ahead for two blocks, **go across** the avenue and you'll see the bus stop on your right.

B: Ah, está cerca. Camina hasta la esquina y dobla a la izquierda. Sigue derecho dos cuadras, cruza la avenida y verás la parada de autobuses a tu derecha.

**L:** O.K, thanks Bill. Only one more thing, **is there** a supermarket around here?

L: Bien, gracias Bill. Sólo una cosa más, ¿hay algún supermercado por aquí?

**B:** Yes, **there is** one **on the corner of** Folsom St and 23rd St, **next to** the baker's. And there is another **between** the drugstore and the dry cleaner's. Why?

B: Sí, hay uno en la esquina de Folsom St y 23rd St, al lado de la panadería. Y hay otro entre la farmacia y la tintorería. ¿Por qué?

**L:** Well, **there isn't** any shaving lotion or toothpaste, and **there aren't** any vegetables either.

L: Bueno, **no hay** crema para afeitar o pasta dental, y **no hay** verduras tampoco.

**B:** Yes, you're right; but don't worry, I'll go to the supermarket.

B: Sí, tienes razón; pero no te preocupes, yo iré al supermercado.

**L:** Great, thanks a lot. Oh, **I've got to go!**

L: Fantástico, muchas gracias. ¡Tengo que irme!

**B:** Well, hurry up! Good luck with your interview!
**L:** Thank you Bill, **see you later.** Bye.

B: Bueno, ¡apúrate! ¡Buena suerte en tu entrevista!
L: Gracias Bill, te veo más tarde. Adiós.

**a.** Cuando necesitas **preguntar cómo llegar a un lugar**, puedes decir:

| | |
|---|---|
| How can I get to the High Hills Hotel? | ¿Cómo puedo llegar al Hotel High Hills? |
| the airport? | al aeropuerto? |
| the station? | a la estación? |

**b.** Y para saber **dónde queda un lugar:**

| | |
|---|---|
| **Where** is the bus stop? | **¿Dónde está** la parada de autobuses? |
| **Where's** the supermarket? | **¿Dónde está** el supermercado? |
| **Is there** a supermarket near here? | ¿Hay un supermercado **cerca** de aquí? |
| Is it **far from** here? | **¿Es lejos** de aquí? |
| Is it **near** here? | **¿Es cerca** de aquí? |

**c. Numbers** - Los números del **60 al 900**

| | | |
|---|---|---|
| **60** sixty | **105** a hundred five | **500** five hundred |
| **70** seventy | **110** a hundred ten | **600** six hundred |
| **80** eighty | **200** two hundred | **700** seven hundred |
| **90** ninety | **300** three hundred | **800** eight hundred |
| **100** a hundred/ one hundred | **400** four hundred | **900** nine hundred |

**d.** Aprendamos dos formas de decir y escribir el número **0**:

| | |
|---|---|
| **zero (zirou)** | especialmente en matemática y para la temperatura. |
| **oh (ou)** | para la hora, números telefónicos, direcciones, cuartos de hotel. |

0° C: **zero** degree Celsius    3:05: three **oh** five

**e.** Para **despedirte**, puedes decir también:

| | |
|---|---|
| **I have to go** | Tengo que irme |
| **I've got to go** | Tengo que irme |
| **See you later** | Te veo más tarde |

**f. Means of transport** - Los medios de transporte
Se usan con la preposición **by:**

| You can go **by** bus | Puedes ir **en** autobus |
|---|---|
| car | automóvil |
| train | tren |
| taxi | taxi |
| plane | avión |
| bicycle | bicicleta |

**a.** Para **dar instrucciones** se usa la **forma imperativa del verbo**, es decir, el verbo sin un pronombre sujeto delante:

**Afirmativo**
| | |
|---|---|
| Walk to the corner | Camine hasta la esquina |
| Turn left | Doble a la izquierda |
| Go across the avenue | Cruce la avenida |

**Negativo:** se agrega **don't** delante del verbo.

| | |
|---|---|
| **Don't walk** to the corner | **No camine** hasta la esquina |
| **Don't turn** left | **No doble** a la izquierda |
| **Don't go** across the avenue | **No cruce** la avenida |

**b.** Estudiemos las siguientes expresiones que se usan para **indicar cómo llegar a un lugar**:

| | | |
|---|---|---|
| **Go** { straight ahead | Siga derecho | |
| across the avenue | Cruce la avenida | |
| **Walk** to the corner | Camine hasta la esquina | |
| **Go** | Vaya | |
| **Turn** { right | Doble hacia la derecha | |
| left | hacia la izquierda | |
| **Take** { the first right | Doble en la primera calle a su derecha | |
| second left | segunda calle a su izquierda | |

**c.** Fíjate en las siguientes **expresiones** que se usan para **describir la ubicación de un lugar**:

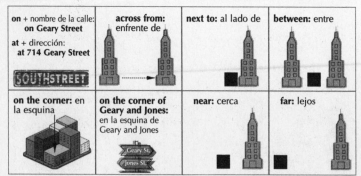

| | | | |
|---|---|---|---|
| **on** + nombre de la calle: **on Geary Street** <br> **at** + dirección: **at 714 Geary Street** <br> SOUTHSTREET | **across from:** enfrente de | **next to:** al lado de | **between:** entre |
| **on the corner:** en la esquina | **on the corner of Geary and Jones:** en la esquina de Geary and Jones <br> Geary St. <br> Jones St. | **near:** cerca | **far:** lejos |

| | |
|---|---|
| The hotel is **on** Geary Street | El hotel está **en** la calle Geary |
| The hotel is **at** 714 Geary Street | El hotel está **en** la calle Geary 714 |
| It is **across from** a park | Está **enfrente de** un parque |
| The hotel is **near** the Civic Center | El hotel está **cerca del** Centro Cívico |
| It is **far from** the Civic Center | Está **lejos del** Centro Cívico |
| The hotel is **on the corner** | El hotel está **en la esquina** |
| It **is on the corner of** Geary and Jones | Está **en la esquina de** Geary y Jones |
| The supermarket is **next to** the baker's | El supermercado está **al lado de** la panadería |
| It is **between** the drugstore and the dry cleaner's | Está **entre** la farmacia y la tintorería |

**d.** El verbo **to have** (haber):

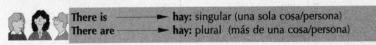

There is ⟶ **hay:** singular (una sola cosa/persona)
There are ⟶ **hay:** plural (más de una cosa/persona)

## Oraciones afirmativas:

| | |
|---|---|
| **There is** a supermarket near here | **Hay** un supermercado cerca de aquí |
| **There are** four supermarkets near here | **Hay** cuatro supermercados cerca de aquí |

## Oraciones negativas: Se agrega **not: There is not / There are not**
Se usan generalmente las contracciones: **There isn't / There aren't**

| | |
|---|---|
| **There isn't** a hotel near here | **No hay** un hotel cerca de aquí |
| **There aren't** big hotels near here | **No hay** grandes hoteles cerca de aquí |

## Oraciones interrogativas: El verbo **to be** se coloca delante de **there.**

**There is** a hotel.       Hay un hotel.

**Is there** a hotel?       ¿Hay un hotel?

En las **preguntas en plural**, se agrega **any:** algunos/algunas. Generalmente no se traduce:

**Are there any** big hotels?   ¿Hay grandes hoteles?

Y para **contestar con respuestas cortas:**

| | | |
|---|---|---|
| **Are there any** big hotels? | Yes, **there are** | Sí, hay |
| ¿Hay grandes hoteles? | No, **there aren't** | No, no hay |

# UNIDAD 12

## EN ESTA UNIDAD APRENDEREMOS:

### USEMOS EL IDIOMA
- *Saludos formales*
- *Llamar por el nombre*
- *Dirigirse a alguien formalmente*
- *La palabra "right"*

### ESTUDIEMOS LA GRAMÁTICA
- *El pasado simple*
- *Verbos regulares y su pasado*
- *Verbos irregulares y su pasado*

## LA ENTREVISTA DE TRABAJO

Luis llega al Hotel High Hills y tiene una entrevista con la Sra. Turlington.

## 1 DIÁLOGOS

**Mrs. Turlington:** Good afternoon, Mr. Flores. **How do you do?**
**Luis: I'm fine,** thank you, **Mrs.** Turlington.

Sra. Turlington: Buenas tardes, Sr. Flores. ¿Cómo está usted?
Luis: Bien, gracias, Sra. Turlington.

· · · · · · · · · · · · · · · · · · · · · · · · · · · · · · · · · · · · · · · · · · · ·

**Mrs. T:** Please, **call me** Brenda. Take a seat.
**L:** Oh, **all right,** thanks.

Sra. T: Por favor, llámeme Brenda. Tome asiento.
L: Ah, está bien, gracias.

**Mrs. T:** So, you're Mexican…
**L:** Yes, **that's right.**

Sra. T: Así que es mexicano…
L: Sí, **así es.**

**Mrs. T:** I **visited** Mexico 2 years **ago. I liked** it very much.
**L:** Yes, it's a beautiful country.

Sra. T: Yo **visité** México dos años **atrás.** Me gustó mucho.
L: Sí, es un país hermoso.

**Mrs. T: Did** you **work** in a hotel in Cancun?
**L:** Yes, I **worked** there **last** year.

Sra. T: ¿Usted **trabajó** en un hotel en Cancún?
L: Sí, **trabajé** allí el año **pasado.**

**Mrs. T:** And **what exactly did you do?**
**L:** First, I **was** a bell captain and then, a front desk clerk.

Sra. T: ¿Y qué **hacía** exactamente?
L: Primero, **fui** jefe de portería y luego, recepcionista.

**Mrs. T:** I see. And **did** you **enjoy** your job?
**L:** Yes, I really liked helping guests.

Sra. T: Entiendo. ¿Y **disfrutaba** de su trabajo?
L: Sí, realmente me encantó ayudar a los huéspedes.

**Mrs. T:** Yes, interesting… and… why **did** you **leave** your job?

Sra. T: Sí, interesante… y… ¿por qué **dejó** su trabajo?

**L:** Well, I **met** Bill, an American friend. He **was** on vacation in Cancun. He **invited** me to come here and I **accepted**.

L: Bueno, conocí a Bill, un amigo americano. Él **estaba** de vacaciones en Cancún. Me **invitó** a venir aquí y yo **acepté**.

**Mrs. T:** One more question, Mr Flores… When can you start?
**L:** Right now, if you want!

Sra. T: Una pregunta más, Sr. Flores… ¿Cuándo puede empezar?
L: ¡Ahora mismo, si usted quiere!

**a. Formal greetings** - Saludos formales

Cuando **te presentan a alguien en una situación formal**, puedes decir:

**How do you do?** ¿Cómo está/s usted/tú?

y puedes responder
{
| | |
|---|---|
| **Very well, thank you** | Muy bien, gracias |
| **I'm fine, thank you** | Bien, gracias |
| **Pleased to meet you** | Encantado de conocerte |
| **How do you do?** | ¿Cómo está usted? |

**b.** Para pedir que **te llamen por tu primer nombre:**

| | |
|---|---|
| Please, **call me** Brenda | Por favor, llámeme Brenda |
| **Just call me** Brenda | Llámame Brenda |

**c.** Cuando te encuentras en una **situación formal** y **debes dirigirte a alguien, ya sea en persona o por escrito**, debes usar el apellido de la persona y alguna de estas posibilidades:

| | | | |
|---|---|---|---|
| **Mr.** (mister) | si es un hombre | Mr. Malcom | Sr. Malcom |
| **Ms.** (miz) | si es una mujer | Ms. Burns | Sra. o Srta. Burns |
| **Mrs.** (misis) | si es una mujer casada | Mrs. Turlington | Sra. Turlington |
| **Miss** (mis) | si es una mujer soltera | Miss Burns | Srta. Burns |

**d.** Fíjate en estas expresiones con la palabra **right:**

Para mostrar que **estás de acuerdo**, o **has entendido o aceptado** algo que te dijeron, dices:

| All right |
|---|

| | |
|---|---|
| Please, **call me** Brenda | Por favor, llámeme Brenda |
| Oh, **all right** | Ah, está bien |

Para **decir que alguien tiene razón**, se usa:

| I'm right  You're right  He's right  She's right  We're right  They're right: |
|---|

| | |
|---|---|
| There aren't any vegetables | No hay verduras |
| Yes, **you're right** | Sí, **tienes razón** |

Para **confirmar algo que te han dicho**, dices:

| That's right |
|---|

| | |
|---|---|
| So, you're Mexican | Así que eres mexicano |
| Yes, **that's right** | Sí, **así es** |

# 3 ESTUDIEMOS LA GRAMÁTICA

## a. Simple Past - El Pasado Simple

Se usa para hablar de acciones, estados o situaciones que **ocurrieron en el pasado y están terminadas:**

**Verbo to be**

### Afirmativo
| | |
|---|---|
| I **was** | Yo fui/estuve |
| You **were** | Tú fuiste/estuviste |
| He **was** | Él fue/estuvo |
| She **was** | Ella fue/estuvo |
| It **was** | Ello fue/estuvo |
| We **were** | Nosotros/as fuimos/estuvimos |
| You **were** | Ustedes fueron/estuvieron |
| They **were** | Ellos/as fueron/estuvieron |

### Negativo
- I **was not/wasn't**
- You **were not/weren't**
- He **was not/wasn't**
- She **was not/wasn't**
- It **was not/wasn't**
- We **were not/weren't**
- You **were not/weren't**
- They **were not/weren't**

### Interrogativo
El verbo se coloca delante del pronombre:

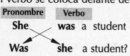

**Pronombre**    **Verbo**

She    was   a student

Was    she   a student?

**Otros verbos**

Los verbos se dividen en **regulares** e **irregulares,** según cómo forman el pasado.

| **Verbos regulares:** | **Verbos irregulares:** |
|---|---|
| Forman el pasado agregando **–ed** al final del verbo: | Generalmente se modifica una parte o toda la palabra: |

**Verbos regulares:**

| Presente | Pasado |
|---|---|
| work | work**ed** |
| visit | visit**ed** |
| start | start**ed** |
| answer | answer**ed** |

I **worked** in a hotel

Yo **trabajé** en un hotel

**Verbos irregulares:**

| Presente | Pasado |
|---|---|
| go | **went** |
| have | **had** |
| tell | **told** |
| speak | **spoke** |

They **went** to the movies

Ellos **fueron** al cine

En las afirmaciones, los verbos se usan de la misma manera con todas las personas. En las negaciones, se usa el auxiliar de pasado **did not** o **didn't** antes del verbo, el cual va en infinitivo:

### Afirmativo
| | |
|---|---|
| I start**ed** | Yo comencé |
| You start**ed** | Tú comenzaste |
| He start**ed** | Él comenzó |
| She start**ed** | Ella comenzó |
| It start**ed** | Ello comenzó |
| We start**ed** | Nosotros/as comenzamos |
| You start**ed** | Ustedes comenzaron |
| They start**ed** | Ellos/as comenzaron |

### Negativo
- I **did not / didn't start**
- You **did not / didn't start**
- He **did not / didn't start**
- She **did not / didn't start**
- It **did not / didn't start**
- We **did not / didn't start**
- You **did not / didn't start**
- They **did not / didn't start**

Para las **preguntas** se coloca el auxiliar **did** delante de los pronombres, con todas las personas. Como en las negaciones, cuando se usa el auxiliar, el verbo se usa en **infinitivo:**

| Did | I<br>you<br>he<br>she<br>it<br>we<br>you<br>they | start? | When did | I<br>you<br>he<br>she<br>it<br>we<br>you<br>they | start? |
|-----|-----|-----|-----|-----|-----|

**Did** she **start** university?          ¿**Comenzó** ella la universidad?
**When did** she **start** university?     ¿**Cuándo comenzó** ella la universidad?

Cuando se usa el pasado simple, pueden usarse estas palabras:

**yesterday** (ayer)

I went to the supermarket **yesterday**          **Fui** al supermercado **ayer**
                          **yesterday** morning                 **ayer** a la mañana

**ago** (atrás)

I visited Mexico 2 years **ago**          Visité México 2 años **atrás**
              1 week **ago**                            1 semana **atrás**

**last** (pasado)

I worked there **last** year          Trabajé allí el año **pasado**
              **last** month                        el mes **pasado**
              **last** night                        anoche

Algunos verbos **regulares y su pasado.**

| Verb | Simple past | Verb | Simple past | Verb | Simple past |
|------|-------------|------|-------------|------|-------------|
| cook (cocinar) | cooked | help (ayudar) | helped | like (gustar) | liked |
| live (vivir) | lived | look (mirar) | looked | love (amar) | loved |
| open (abrir) | opened | play (jugar) | played | rent (alquilar) | rented |
| show (mostrar) | showed | study (estudiar) | studied | try (intentar) | tried |
| travel (viajar) | traveled | want (querer) | wanted | watch (mirar) | watched |
| work (tabajar) | worked | enjoy (disfrutar) | enjoyed | hate (odiar) | hated |

Algunos verbos **irregulares y su pasado:**

| Verb | Simple past | Verb | Simple past | Verb | Simple past |
|------|-------------|------|-------------|------|-------------|
| come (venir) | came | do (hacer) | did | eat (comer) | ate |
| feel (sentir) | felt | go (ir) | went | meet (conocer) | met |
| sleep (dormir) | slept | take (tomar) | took | teach (enseñar) | taught |
| tell (contar) | told | have (tener) | had | write (escribir) | wrote |
| put (poner) | put | hear (oir) | heard | send (enviar) | sent |

# UNIDAD 13

## EN ESTA UNIDAD APRENDEREMOS:

### USEMOS EL IDIOMA
- Pedir algo en la tienda
- Diferentes maneras de comprar algo
- Cómo se dicen algunos alimentos

### ESTUDIEMOS LA GRAMÁTICA
- Sustantivos contables
- Sustantivos incontables "some" y "any"
- Preguntar por cantidad
- El uso de la forma "will"

## HACIENDO COMPRAS

Cuando se despide de Luis, que va a su entrevista laboral, Bill pasa por su casa para hacer la lista de compras e ir al supermercado.

## 1 DIÁLOGOS

**Bill:** So… we need shaving lotion, toothpaste… and soap **too**… O.K.

Bill: Entonces…necesitamos crema para afeitar, pasta dental... y jabón **también**…

**B:** Now, let's see… there are **some tomatoes** but there aren't **any carrots**. **I'll get some**. We have only **a few eggs**. **I'll get a dozen**. We also need **potatoes** and **onions**.

B: Bien. Veamos... hay algunos tomates pero no hay zanahorias. Compraré algunas... Tenemos solo unos pocos huevos. Compraré una docena. También necesitamos papas y cebollas.

**B:** We could invite Annie for dinner on Friday… so **I'll get some meat** and prepare a barbecue. And **fruit?**… Let's see…

**B:** Podríamos invitar a Annie a cenar el viernes... así que **compraré algo de carne** para preparar una barbacoa. ¡Y **frutas?**... Veamos...

**B:** We need **some oranges** and **apples. I'll buy some** more ice cream. I think Annie and Luis would like chocolate mint and vanilla. (The phone rings…)

**B:** Necesitamos **algunas naranjas y manzanas. Compraré un poco más** de helado. Pienso que a Annie y a Luis les va a gustar el helado de menta chocolatada y vainilla. (Suena el teléfono…)

**Bill:** Hello?

**Bill:** ¿Hola?

**Annie:** Hi, Bill. It's Annie. Listen, my cousin Meg is coming from Seattle.

**Annie:** Hola, Bill. Habla Annie. Oye, mi prima Meg viene de Seattle.

**A:** Would you and Luis like to come over for dinner on Friday?

A: ¿Les gustaría a ti y a Luis venir a cenar el viernes?

**B:** Sounds great. We'll take some **beer** and a **bottle of wine.**

B: Suena muy bien. Llevaremos unas **cervezas** y una **botella de vino.**

**A:** Terrific. See you on Friday, then!

A: Fantástico. ¡Entonces nos vemos el viernes!

**B:** See you Annie… and thanks for the invitation.

B: Nos vemos Annie… y gracias por la invitación.

**a.** Cuando **pides un producto** en una tienda, puedes decir:

| | |
|---|---|
| **I'd like to** have | Me gustaría llevar (frase amable) |
| **I'll take** ... | Llevaré …. (frase neutral) |
| **I want** a ... | Quiero un/una …(frase correcta pero menos amable) |

**b.** Fíjate las **diferentes maneras en que puedes comprar algunos productos:**

| | |
|---|---|
| **a bag of** lemons/oranges | **una bolsa de** limones/naranjas |
| **a bottle of** wine/shampoo | **una botella de** vino/shampoo |
| **a box of** tea bags/cereal | **una caja de** té en saquitos/cereales |
| **a bunch of** bananas/grapes | **un racimo de** bananas/uvas |
| **a six-pack of** beer/soda | **un pack de 6** cervezas/refrescos |
| **a carton of** milk/juice | **un cartón de** leche/jugo |
| **a dozen** eggs | **una docena de** huevos |
| **a head of** lettuce | **una planta de** lechuga |
| **a jar of** jam/pickles | **un frasco de** mermelada/pickles |
| **a loaf of** bread | **una pieza de** pan |
| **a piece of** cheese | **una porción de** queso |
| **a tube of** toothpaste | **un tubo de** pasta dental |

**c.** Estudiemos cómo se dicen algunos **alimentos:**

| Fruit (Frutas) | Meat (Carne) | Otros alimentos |
|---|---|---|
| Apple (manzana) | Beef (carne de res) | Milk (leche) |
| Banana (plátano) | Chicken (pollo) | Butter (mantequilla) |
| Mango (mango) | Lamb (cordero) | Cheese (queso) |
| Orange (naranja) | Pork (cerdo) | Yogurt (yogur) |
| Strawberry (fresa) | Fish (pescado) | Cream (crema) |
| Pineapple (piña) | | Pasta (pasta) |
| Lemon (limón) | **Vegetables (Verduras)** | Rice (arroz) |
| Grape (uva) | Lettuce (lechuga) | Egg (huevo) |
| | Carrot (zanahoria) | Flour (harina) |
| | Pea (arveja) | Corn (maíz) |
| | Pepper (pimiento) | |
| | Tomato (tomate) | |
| | Potato (papa) | |
| | Cucumber (pepino) | |
| | Onion (cebolla) | |

**a.** Los sustantivos que se refieren, por lo general, a **objetos que pueden contarse por unidad** se llaman **countable nouns** (sustantivos contables). **Tienen singular y plural:**

| | | | |
|---|---|---|---|
| An **egg** | un **huevo** | six **eggs** | seis **huevos** |
| A **tomato** | un **tomate** | ten **tomatoes** | diez **tomates** |
| A **carrot** | una **zanahoria** | four **carrots** | cuatro **zanahorias** |
| A **package** | un **paquete** | two **packages** | dos **paquetes** |
| A **box** | una **caja** | thirty **boxes** | treinta **cajas** |
| A **car** | un **automóvil** | five **cars** | cinco **automóviles** |

**b.** Los sustantivos que se refieren por lo general a **sustancias, ya sean líquidas, sólidas o gaseosas**, que **no se cuentan por unidad**, se llaman **uncountable nouns** (sustantivos Incontables). Se usan sólo en singular. Muchos se refieren a alimentos:

| | | |
|---|---|---|
| Tea (té) | Rice (arroz) | Bread (pan) |
| Milk (leche) | Butter (mantequilla) | Oil (aceite) |
| Water (agua) | Cream (crema) | Salt (sal) |
| Coffee (café) | Flour (harina) | Sugar (azúcar) |

Y a otras cosas también:

Gasoline (gasolina)   Air (aire)   Money (dinero)   Sand (arena)

Para **expresar una cantidad definida** con los **uncountable nouns**, puedes usar estas frases:

**a piece of:** una porción de       a piece of cheese
**a glass of:** un vaso de         a glass of wine/water/milk
**a cup of:** una taza de         a cup of coffee/tea
**a bottle of:** una botella de      a bottle of oil/wine/shampoo

**c. Para expresar una cantidad indefinida,** se usa **some** (algo de-algunos/as) o **any** (algo de-algunos/as), tanto con los **countable nouns** como con los **uncountable nouns:**

**Some** se usa en oraciones afirmativas:

There is **some** coffee       Hay **algo** de café
There are **some** oranges      Hay **algunas** naranjas

Se puede usar **some** para hacer **preguntas** solamente **cuando se pide o se ofrece algo:**

Can I have **some** sugar, please?      ¿Puede darme **algo** de azúcar, por favor?
                                        (Sé que hay azúcar, por eso la pido)

Would you like **some** apples?         ¿Gustarías **algunas** manzanas?
                                        (Las estoy ofreciendo)

**Any** se usa en oraciones **negativas**. Se traduce como "nada de" o no se traduce:

| | |
|---|---|
| There isn't **any** toothpaste | No hay **nada de** pasta dental |
| There isn't **any** money | No hay dinero |
| | |
| I don't have **any** onions | No tengo cebollas |
| There aren't **any** oranges | No hay **nada de** naranjas |

También se usa **en oraciones interrogativas**. Se traduce como "algo de" o no se traduce:

| | |
|---|---|
| Is there **any** bread? | ¿Hay **algo** de pan? |
| Is there **any** sugar? | ¿Hay **algo** de azúcar? |

**d.** Para **preguntar por cantidad** debe usarse:

(**How much**) para **uncountable nouns**  (**How many**) para **countable nouns**

| | |
|---|---|
| **How much** rice is there? | **¿Cuánto** arroz hay? |
| **How much** salt would you like? | **¿Cuánta** sal te gustaría? |

| | |
|---|---|
| **How many** bottles are there? | **¿Cuántas** botellas hay? |
| **How many** carrots do you need? | **¿Cuántas** zanahorias necesitas? |

| Recuerda | |
|---|---|
| **Countable** | **Uncountable** |
| A/An | - |
| Plural | - |
| Some | Some |
| Any | Any |

**e.** Cuando tomas una decisión en el mismo momento en que estás hablando, puedes expresarla usando el auxiliar **will**, junto con **I** o **we**. Se usan las **contracciones I'll / we'll**:

The telephone is ringing. **I'll** answer it
El teléfono está sonando. Lo **contestaré**
There aren't any carrots. **I'll** buy some
No hay zanahorias. **Compraré** algunas
We have few eggs. **We'll** take a dozen
Tenemos pocos huevos. **Llevaremos** una docena

# UNIDAD 14

## EN ESTA UNIDAD APRENDEREMOS:

### USEMOS EL IDIOMA
- *Para proponer algo con "how about"*
- *Expresar sorpresa con "how"*

### ESTUDIEMOS LA GRAMÁTICA
- *Expresar cantidad para sustantivos contables e incontables*
- *"Something" y "anything"*
- *"Someone" y "anyone"*

### EN EL SUPERMERCADO

Bill va al supermercado y se encuentra casualmente con Annie que está haciendo las compras para la cena del viernes por la noche.

---

## 1 DIÁLOGOS

**Bill:** Hi, there! What are you doing here?
**Annie:** Shopping for our Friday dinner!

Bill: ¡Hola! ¿Qué haces por aquí?
Annie: ¡Las compras para la cena del viernes!

· · · · · · · · · · · · · · · · · · · · · · · · · · · · · · · · · · · ·

**B:** Fine. I have to buy **many** things, too.
**A:** I don't have **any** vegetables. I have to buy peas, carrots and potatoes.

B: Bien. Yo tengo que comprar **muchas** cosas también.
A: No tengo **nada** de verduras. Tengo que comprar arvejas, zanahorias y papas.

**B:** I also need **some** vegetables.
Let's go.

B: Yo también necesito **algunas** verduras. Vamos.

**A: What else?** Oh, yes, I need
**some** tomatoes, onions and a
few peppers. And a couple of
avocados… I'll make guacamole
for Luis.

A: ¿Qué más? Ah, sí, necesito **algunos** tomates,
cebollas y unos pimientos. Y un par de agua-
cates … prepararé guacamole para Luis.

**B:** Sounds good. **How about buying some** ice cream for Friday?
Do you like vanilla and chocolate mint?

B: Suena bien. **¿Qué te parece si compramos
algo** de helado para el viernes? ¿Te gusta de
vainilla y menta chocolatada?

**A:** Yes, I love it.
**B:** And…I need to buy **some** eggs.

A: Sí, me encanta.
B: Y... necesito comprar **algunos** huevos.

A: Oh, I almost forgot to buy **something** to drink. And… do you need **anything** from the toiletries section?

A: Ah, casi me olvido de comprar **algo** para beber. Y,... ¿necesitas **algo** del sector de artículos de tocador?

B: Yes, I need **some** toothpaste and shaving lotion, too.
A: How strange! There **isn't any** toothpaste. Let's ask **someone**.

B: Sí, necesito pasta dental y crema para afeitar también.
A: ¡Qué raro! **No hay** pasta dental. Preguntémosle a **alguien**.

B: No, look! There is one tube on that shelf.
A: Great. Do you need **anything else**?

B: No, mira. Hay un tubo en ese estante.
A: Muy bien. ¿Necesitas **algo más**?

B: No, that's fine with me. Look, there isn't **anyone** in that line.

B: No. Ya está bien para mí. Mira, no hay **nadie** en aquella fila.

**a.** Cuando **se ofrece, se invita o se propone algo** se puede formular esta pregunta:

**How about... ?**     ¿Qué te parece... ?
                        ¿Qué tal si... ?

**How about** this shampoo?                ¿Qué te parece este shampoo?
            getting some more ice cream?   ¿Qué tal si compramos más helado?
            making *guacamole*?            ¿Qué tal si preparamos guacamole?
            buying a few toiletries?       ¿Qué tal si compramos algunos
                                           artículos de tocador?

**b.** Para **expresar sorpresa**, se puede combinar **how + un adjetivo**:

**How** strange!          ¡Qué extraño!
      interesting!            interesante!
      terrible!               terrible!
      incredible!             increíble!
      nice!                   bonito!


There isn't any toothpaste    How strange!
This is my new apartment      How nice!
I'm a graphic designer        How interesting!
I don't have any money        How terrible!

# 3 ESTUDIEMOS LA GRAMÁTICA

**a.** Para **expresar que hay mucha cantidad** de algo se usa **a lot of** (un montón de) tanto para sustantivos contables como para incontables:

| | |
|---|---|
| **a lot of** | oranges / cucumbers / apples / carrots |
| **un montón de** | naranjas / pepinos / manzanas / zanahorias |

Otras palabras para expresar cantidad con **uncountable nouns** son:

**much** (mucho/a)   **a little** (algo de / un poco)   **little** (poco)

| | |
|---|---|
| There isn't **much** shampoo | No hay **mucho** shampoo |
| I have **a little** toothpaste | Tengo **un poco** de pasta dental |
| She has **little** money | Ella tiene **poco** dinero |

Y para expresar cantidad con **countable nouns** deberás usar:

**many** (mucho/as)   **a few** (algunos/as, un poco)   **few** (pocos/as)

| | |
|---|---|
| There aren't **many** apples | No hay **muchas** manzanas |
| I have **a few** potatoes | Tengo **algunas** papas |
| There are **few** bottles of wine | Hay **pocas** botellas de vino |

| Recuerda | |
|---|---|
| **Countable** | **Uncountable** |
| A lot of | A lot of |
| Many | Much |
| A few | A little |
| Few | Little |

Veamos otros ejemplos:

| Countable nouns | Uncountable nouns |
|---|---|
| There are many wine bottles on the shelf | There isn't much shampoo in the bottle |
| (Hay muchas botellas de vino en el estante) | (No hay mucho shampú en la botella) |
| There are a lot of oranges in the fridge | There is a little juice in the jug |
| (Hay un montón de naranjas en la nevera) | (Hay poco jugo en la jarra) |

**b.** Cuando **no se puede precisar o nombrar un objeto,** las palabras que se usan son: **something** (algo) y **anything** (nada o algo)

Debes usar **something** para **afirmar:**

| | |
|---|---|
| I have **something** in my bag | Tengo **algo** en mi bolso |
| She needs **something** from the drugstore | Ella **necesita** algo de la farmacia |
| He is buying **something** at the market | Él está comprando **algo** en el mercado |
| They bought **something** at the store | Ellos compraron **algo** en la tienda |

Y usarás **anything** para **negar** o **preguntar:**

| | |
|---|---|
| There isn't **anything** in my bag | No hay **nada** en mi bolso |
| She didn't buy **anything** at the store | Ella no compró **nada** en la tienda |
| Do you need **anything** from the supermarket? | ¿Necesitas **algo** del supermercado? |
| Did you buy **anything** for dinner? | ¿Compraste **algo** para la cena? |

**c.** De la misma forma se usa **someone** o **anyone** para referirse a una persona: Debe usarse **someone** (alguien) para afirmar:

| | |
|---|---|
| Bill talked to **someone** | Bill habló con **alguien** |
| **Someone** is talking | **Alguien** está hablando |

Y usarás **anyone** (nadie) para negar o preguntar:

I can't see **anyone** at the toiletries section
No veo **a nadie** en el sector de artículos de tocador

There isn't **anyone** here
No hay **nadie** aquí

Is there **anyone** buying shaving lotion?
¿Hay **alguien** comprando crema para afeitar?

Did Luis phone **anyone** this morning?
¿Telefoneó a **alguien** Luis por la mañana?

# UNIDAD 15

## EN ESTA UNIDAD APRENDEREMOS:

**USEMOS EL IDIOMA**
- *Números ordinales*
- *Palabras que se usan en un hotel*
- *Herramientas de trabajo*

**ESTUDIEMOS LA GRAMÁTICA**
- *Preposiciones de posición*
- *Adverbios de lugar ("here" y "there")*

---

### PRIMER DÍA DE TRABAJO

Luis llega al Hotel High Hills en su primer día de trabajo y Brenda le muestra el hotel.

---

## 1 DIÁLOGOS

(Luis knocks on the door of Brenda's office.)
**Brenda:** Oh, hello, Luis! Come in, please. Welcome to the High Hills Hotel. Let me show you a plan of the hotel.

(Luis golpea a la puerta de la oficina de Brenda.)
**Brenda:** ¡Ah, hola, Luis! Pasa, por favor. Bienvenido al Hotel High Hills. Permíteme mostrarte un plano del hotel.

· · · · · · · · · · · · · · · · · · · · · · · · · · · · · · · · · · · · · · · · ·

**B:** ...We're **here**, on the **second floor**. This is the **hotel administration**. The hotel has twenty floors. There's a **swimming pool** and a **gym** on the **twentieth floor**...

**B:** ...Nosotros estamos aquí, en el segundo piso. Esta es la administración del hotel. El hotel tiene veinte pisos. Hay una piscina y un gimnasio en el vigésimo piso...

**B:** ...and there are **restaurants** and **bars** on the nineteenth floor. The **guest rooms** are **from the fourth** to the **eighteenth** floor.

**B:** ...y hay restaurantes y bares en el decimonoveno piso. Las habitaciones de los huéspedes están desde el cuarto piso hasta el decimoctavo.

**B:** ...There are **conference rooms** on the **third** floor. Now we'll go to the **lobby** and I'll show you the **front desk.**

**B:** ...Hay salas de conferencia en el tercer piso. Ahora iremos al lobby y te mostraré el escritorio de la recepción.

(At the front desk)
**B:** Here is your phone and your **computer.** The **printer's right here, behind** your desk, and the **fax machine** is over... **there.**

(En la recepción)
**B:** Aquí está tu teléfono y tu computadora. La impresora está aquí mismo, detrás de tu escritorio y el fax está... por allá.

**B:** ...There's a **photocopier right there**, and a **scanner in front of** the fax machine.

**B:** ...Hay una fotocopiadora aquí, y un escáner delante del fax.

**Luis:** And where's the paper?

Luis: ¿Y dónde está el papel?

**B:** The **copy paper** is **up here,** and the **stationery** is **down there.** You know, **pens, pencils, staplers, envelopes, paper clips.**

B: El **papel para las copias** está aquí arriba y los artículos de oficina están allá abajo. Tú sabes, bolígrafos, lápices, engrapadoras, sobres, clips.

**L:** Well, I hope I can remember everything!

L: ¡Bien, espero recordar todo!

**B:** Don't worry. You can ask George, the other front desk clerk. I'll introduce him to you.
**L:** O.K. Thanks a lot!

B: No te preocupes, puedes preguntarle a George, el otro recepcionista. Te lo presentaré.
L: Muy bien. ¡Muchas gracias!

**a. Ordinal numbers** - Los números ordinales del 1° al 31°:

| | | |
|---|---|---|
| 1st | **first** | primero/a |
| 2nd | **second** | segundo/a |
| 3rd | **third** | tercero/a |

| | | | |
|---|---|---|---|
| 4th | fourth (cuarto) | 12th | twelfth (duodécimo) |
| 5th | fifth (quinto) | 13th | thirteenth (decimotercero) |
| 6th | sixth (sexto) | 14th | fourteenth (decimocuarto) |
| 7th | seventh (séptimo) | 15th | fifteenth (decimoquinto) |
| 8th | eighth (octavo) | 16th | sixteenth (decimosexto) |
| 9th | ninth (noveno) | 17th | seventeenth (decimoséptimo) |
| 10th | tenth (décimo) | 18th | eighteenth (decimoctavo) |
| 11th | eleventh (undécimo) | 19th | nineteenth (decimonoveno) |
| | | 20th | twentieth (vigésimo) |

En los números compuestos, el número ordinal se coloca al final:

| | | | |
|---|---|---|---|
| 21st | twenty-**first** (vigésimo primero/a) | 26th | twenty-**sixth** |
| 22nd | twenty-**second** | 27th | twenty-**seventh** |
| 23rd | twenty-**third** | 28th | twenty-**eighth** |
| 24th | twenty-**fourth** | 29th | twenty-**ninth** |
| 25th | twenty-**fifth** | 30th | **thirtieth** (trigésimo) |
| | | 31st | thirty-**first** |

Se usan para

➤ **indicar el orden en que algo sucede o está ubicado:**
This is my **first** trip to the U.S.   Este es mi **primer** viaje a los EE.UU
My house is the **third** on the left   Mi casa es la **tercera** a la izquierda

➤ **decir las fechas:**
My birthday is on October **27th**   Mi cumpleaños es el **27** de octubre

➤ **indicar los pisos de un edificio:**
I live on the **fourteenth** floor   Vivo en el **decimocuarto** piso

**b**. **At a hotel** - En un hotel:

| | |
|---|---|
| **hotel administration:** administración | **giftshop:** tienda de regalos |
| **lobby:** lobby | **swimming pool:** piscina |
| **front desk:** recepción | **conference room:** salón de conferencias |
| **coffeeshop:** cafetería | **restaurant:** restaurante |
| **bar:** bar | **gym:** gimnasio |

**c**. **Work tools** - Herramientas de trabajo:

| | |
|---|---|
| **computer:** computadora | **stationery:** artículos de oficina |
| **printer:** impresora | **pen:** bolígrafo |
| **fax machine:** fax | **pencil:** lápiz |
| **photocopier:** fotocopiadora | **stapler:** engrapadora |
| **copy paper:** papel para copias | **clip:** clip |
| **eraser:** goma | |

# 3 ESTUDIEMOS LA GRAMÁTICA

**a.** Estudiemos las siguientes preposiciones que indican posición:

| | |
|---|---|
| **in front of** (delante de) | **behind** (detrás de) |
| **above** (arriba de) | **below** (debajo de) |
| **on** (sobre) | **under** (debajo de) |
| **across from** (enfrente de) | **next to** (al lado de) |
| **to the right** (hacia la derecha) | **to the left** (hacia la izquierda) |

| | |
|---|---|
| The printer is **in front** of the scanner | La impresora está **delante de**l escáner |
| The photocopier is **behind** the fax machine | La fotocopiadora está **detrás de**l fax |
| The conference room is **above** the lobby | El salón de conferencias está a**rriba de**l lobby. |
| It's 35 degrees **below** zero | Hace 35 grados **bajo** cero |
| The computer is **on** a desk | La computadora está **sobre** el escritorio |
| My pen is **under** the desk | El bolígrafo está **debajo de**l escritorio |

**b.** Los adverbios de lugar **here** (aquí, acá) y **there** (allí, allá):

**Here** se usa para indicar algo que está ubicado **cerca de la persona que habla:**

| | |
|---|---|
| The printer is **here.** | La impresora está **aquí.** |
| Is there a hotel near **here**? | ¿Hay un hotel cerca de **aquí?** |

**There** se usa para indicar algo que está **alejado de la persona que habla:**

The photocopier is **there**, next to the scanner
La fotocopiadora está **allí,** al lado del escáner

The restaurant is **there,** near the gift store.
El restaurante está **allá**, cerca de la tienda de regalos

Muchas veces estos adverbios se combinan con otras palabras:

| The printer is right **here** **there** | La impresora está **aquí mismo** **allá mismo** |
|---|---|
| The fax machine is over **here** **there** | La máquina de fax está **por aquí** **allá** |
| The stationery is **up there** **down here** | Los artículos de oficina están **allá arriba** **aquí abajo** |

NIVEL 1

NIVEL 2

NIVEL 3

# NIVEL 4

NIVEL 5

NIVEL 6

# UNIDAD 16

## EN ESTA UNIDAD APRENDEREMOS:

**USEMOS EL IDIOMA**
- *Dirigirse respetuosamente a alguien*
- *Pedir a alguien que haga algo*
- *Las fechas*
- *Desear una buena estadía*

**ESTUDIEMOS LA GRAMÁTICA**
- *Preposiciones que indican movimiento*
- *Preposiciones de movimiento con verbos*

### HABLANDO CON CLIENTES EN EL TRABAJO

Luis registra a su primer huésped y responde a sus preguntas.

## 1 DIÁLOGOS

**Guest:** Good morning. I want to check in, please.
**Luis:** Good morning, **sir**. Do you have a reservation?
**G:** Yes, my name's John Anderson. I have a reservation for a single room.

Huésped: Buenos días. Quiero registrarme, por favor.
Luis: Buenos días, **señor**. ¿Tiene una reserva?
H: Sí, mi nombre es John Anderson. Tengo una reserva para una habitación simple.

..........................................................

**L:** Just a moment, please… Yes, that's right, Mr. Anderson. A single room, **February 20th through February 24th**. How are you paying?

L: Un momento, por favor, …Sí, así es, Mr. Anderson. Una habitación simple desde el 20 de febrero hasta el 24 de febrero. ¿Cómo va a pagar?

**G:** With a credit card. Here you are.
**L:** Thank you. **Would** you complete the guest registration card?

H: Con tarjeta de crédito. Aquí tiene.
L: Gracias. **Podría** completar la tarjeta de registro?

**G:** Sure… There you are.

H: Seguro… Aquí tiene.

**L:** Thank you, **sir**. Here's your room key. The bell boy will take your baggage to your room.

L: Gracias, **señor**. Aquí tiene la llave de su habitación. El botones llevará su equipaje a su habitación.

**G:** Thank you. Where are the elevators?
**L:** **Go across** the lobby and to the left. The elevators are **next to** the gift store.

H: Gracias. ¿Dónde están los ascensores?
L: **Cruce** el lobby y vaya a la izquierda. Los ascensores están **al lado de** la tienda de regalos.

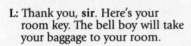

G: And how do I get to the swimming pool?
L: Take the elevator **up to** the 20th floor.

H: ¿Y cómo llego a la piscina?
L: Tome el ascensor **hacia arriba hasta** el piso 20.

L: When you **come out of** the elevator, **go across** the hall, and turn left.

L: Cuando **sale** del ascensor, **cruce** el hall y **doble** a la izquierda.

L: Go **along** the corridor, **past** the gym, and you'll see a small escalator on your right. **Go up** the escalator and there's the pool.

L: **Vaya** por el pasillo, **pase por delante** del gimnasio y verá una pequeña escalera mecánica a su derecha. **Suba** por la escalera y allí está la piscina.

G: Thank you very much.
L: You're welcome. **Enjoy your stay with us.**

H: Muchísimas gracias.
L: No hay de qué. **Disfrute su estadía con nosotros.**

**a.** Cuando **queremos dirigirnos respetuosamente hacia un hombre o una mujer**, se usa **sir** (señor) o **madam** (señora):

Good morning, **sir**     Buenos días, **señor**

Good afternoon, **madam**     Buenas tardes, **señora**

ma'am
(abreviado)

**b.** Para **pedirle a alguien que haga algo,** se pueden usar estos auxiliares:

| **would** (más formal)     **will** (más informal) |
| --- |

**Would** you complete the guest registration card?     ¿**Completaría** la tarjeta de registro?

**Would** you sign here?     ¿**Firmaría** aquí?

**Would** you wait for a few minutes?     ¿**Esperaría** unos minutos?

**Will** you follow me, please?     ¿**Me sigue,** por favor?

**Will** you answer the phone?     ¿**Contestarías** el teléfono?

**Will** you call her, please?     ¿**La llamarías**, por favor?

**c. Dates -** Las fechas:
Se usan siempre los **números ordinales.** Puedes escribir:

| November 6th   o   November 6 |
| --- |
| January 20th   o   January 20 |

Si lo escribes en números, recuerda que el orden es **mes + día:**

| November 6   11/6   January 20   1/20 |
| --- |

Y leerás:

November sixth     January twentieth

**d.** Para desear una buena estadía, se puede decir:

**Enjoy your stay with us**  **Disfrute su estadía con nosotros**

**a.** Preposiciones que **indican movimiento:**

| | |
|---|---|
| across | cruzando / a través |
| into | adentro |
| from | desde |
| up | arriba |
| past | después de |
| along | a lo largo |
| out of | afuera |
| to | hacia |
| down | abajo |

**b.** Estas preposiciones se usan generalmente con verbos que indican movimiento, por ejemplo:

| Go (ir) | |
|---|---|
| I have to **go to** the supermarket | Tengo que **ir al** supermercado |
| **Go across** the hall | **Cruce** el salón |
| **Go past** the gym | Pase **por delante** del gimnasio |
| She's **going up** the escalator | Ella está **subiendo** por la escalera mecánica |
| He's **going into** the hotel | Él está **entrando** en el hotel |
| We **went out** of the room | Nosotros **salimos** de la habitación |
| Are you **going along** Folsom St? | ¿Estás **yendo por** la calle Folsom? |
| **Go up to** the 2nd floor | **Suba hasta** el 2° piso |

## Walk (caminar)

| | |
|---|---|
| They were **walking to** the station | Ellos estaban **caminando hacia** la estación |
| I **walked past** the drugstore | **Pasé caminando** por delante de la farmacia |
| **Walk across** the park | **Cruza** el parque |
| I love **walking along** the river | Me encanta **caminar a lo largo** del río |
| We **walked out** of the room | **Salimos del** cuarto |
| They **walked into** the hotel | **Entraron al** hotel |

## Drive (conducir)

| | |
|---|---|
| He **drove from** his house **to** the station | **El condujo desde** su casa **hasta** la estación |
| I **was driving along** Geary St. | Estaba **conduciendo a lo largo** de la calle Geary |

## Swim (nadar)

| | |
|---|---|
| He **swam across** the river | El **nadó a lo ancho** del río |

## Travel (viajar)

| | |
|---|---|
| He's **traveling to** Puerto Rico | Él está **viajando a** Puerto Rico |
| They **traveled from** Miami **to** Naples | Ellos **viajaron desde** Miami hasta Naples |

## Run (correr)

| | |
|---|---|
| She **runs up** the hill twice a week | Ella **sube corriendo** la colina dos veces por semana |
| They **ran out** of the room | Ellos **salieron corriendo** de la habitación |

# UNIDAD 17

## EN ESTA UNIDAD APRENDEREMOS:

**USEMOS EL IDIOMA**
- *Preguntar marcas y modelos*
- *Números 1,000 a 1,000,000*
- *Los años*
- *El dinero*

- *Los precios*
- *Partes de un auto*

**ESTUDIEMOS LA GRAMÁTICA**
- *Comparaciones: Tan... como*

---

### EL VENDEDOR DE AUTOS

Bill quiere comprar un automóvil y va a una agencia de automóviles usados.

---

## 1 DIÁLOGOS

**Bill:** I'd like a car which is economical and not very expensive
**Salesperson:** There are many good cars. I could show you this one, for example.

Bill: Quisiera un auto que sea económico y no muy caro.
Vendedor: Hay muchos automóviles buenos. Puedo mostrarle éste, por ejemplo.

• • • • • • • • • • • • • • • • • • • • • • • • • • • • • • • • • • •

**B:** What **make** is it?
**S:** This is a Honda. It's a great car.
**B:** What **model** is it?

B: ¿Qué marca es?
V: Éste es un Honda. Es un gran automóvil.
B: ¿Qué modelo es?

**S:** It's a **2000** Civic, and it's in excellent condition. And I can show you a Lexus IS 300 too. There's a **2001** model that's really good.

**V:** Es un Civic del año 2000 y está en excelentes condiciones. Y también puedo mostrarle un Lexus IS 300. Hay un modelo del 2001 que está realmente muy bien.

**B:** And what's the difference between them?
**S:** A Honda **is as good as** a Lexus. It's **less powerful** but it's **more economical,** and the **trunk** space is **bigger.**

**B:** ¿Y cuál es la diferencia entre ellos?
**V:** Un Honda **es tan bueno** como un Lexus. Tiene **menos potencia** pero es **más económico** y el maletero es **más grande.**

**S:** The Lexus has a **bigger engine** so it's **faster,** and is **more expensive** than the Honda. It's **more popular** with young people like you! I sell a lot every day!

**V:** El Lexus tiene un **motor más grande** y por eso es **más rápido,** y es **más caro** que el Honda. ¡Es **más popular** entre la gente joven como usted! ¡Vendo un montón todos los días!

**B:** Yes, I can imagine… How much is the Honda?
**S:** This Honda is an **older** model, so it's **less expensive than** that Lexus. It's around **$13,500.**

**B:** Sí, me imagino… ¿Cuánto cuesta el Honda?
**V:** Este Honda es un modelo **más viejo,** y por eso es **menos caro que** aquel Lexus. Cuesta aproximadamente US$13.500.

**B:** And how can I pay for it?

B: ¿Y cómo puedo pagarlo?

**S:** Well, you can make a down payment of 20% of the total price, and the rest in monthly installments.

V: Bueno, usted puede hacer un anticipo del 20% del precio total y el resto en cuotas mensuales.

**B:** I see... Can I take it for a test drive?

B: Entiendo... ¿Puedo dar una vuelta de prueba?

**S:** Sure, no problem! Once you get into this car, you will not want to get out of it!

V: ¡Seguro, no hay problema! ¡Una vez que usted entre en este automóvil, no querrá salir de él!

# 2 USEMOS EL IDIOMA

**a.** Para preguntar por **la marca** de un automóvil, dices:

What **make** is it?        ¿Qué **marca** es?

**b.** Para saber el **modelo**:

What **model** is it?        ¿Qué **modelo** es?

**c. Numbers from 1000 to 1,000,000,000 -**
Los números del 1.000 a 1.000.000.000.

| | |
|---|---|
| 1000 a/one thousand | 10,000 ten thousand |
| 1,200 a/one thousand two hundred | 13,000 thirteen thousand |
| 2,000 two thousand | 50,000 fifty thousand |
| 3,000 three thousand | 100,000 a/one hundred thousand |
| 4,000 four thousand | 500,000 five hundred thousand |
| 5,000 five thousand | 1,000,000 a/one million |
| | 1,000,000,000 a/one billion |

1M:1 million   2Bn: 2 billion

Para los norteamericanos **un billón** es equivalente a **mil millones.**
Los números para indicar cantidades o precios se separan con una coma 50,000
o ningún signo 50000

**d. The years -** Los años:
El año 2000 y sucesivos, se dice generalmente, de esta forma:

2000 two thousand   2004  two thousand and four

o puede también decirse:

2004 (20 04)  twenty oh four   2010 (20 10)  twenty ten

Los años de los siglos anteriores se dicen como si fueran dos números separados:

1999 (19 99) nineteen ninety-nine  1885 (18 85)  eighteen eighty-five
1996 (19 96) nineteen ninety-six  1770 (17 70) seventeen seventy

**d. Money -** El dinero:
La moneda norteamericana es el **dollar**: dólar

One dollar (un dólar): 100 cents (cien centavos)

**Bills:** billetes
$1 one dollar
$5 five dollars
$10 ten dollars
$20 twenty dollars
$50 fifty dollars
$100 a/one hundred dollars

**Coins:** monedas
1¢ (a/one penny) un centavo de dólar
5¢ (a/one nickel) cinco centavos de dólar
10¢ (a/one dime) diez centavos de dólar
25¢ (a/one quarter) veinticinco centavos de dólar

**e. Prices -** Los precios
Fíjate como se pueden leer los precios:

| | |
|---|---|
| **$2.25** | two dollars twenty-five cents / two twenty-five |
| **$45.89** | forty-five dollars eighty-nine cents / forty-five eighty-nine |

**g. A car -** Un automóvil.

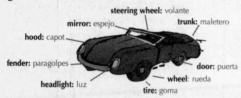

steering wheel: volante
mirror: espejo
**trunk:** maletero
**hood:** capot
**fender:** paragolpes
**door:** puerta
**headlight:** luz
**wheel**: rueda
**tire**: goma

**parking brake:** freno de mano
**accelerator:** acelerador
**radiator:** radiador
**brake:** freno
**battery:** batería
**clutch:** embrague
**gear box:** caja de cambios
**windshild:** parabrisas

## 3 ESTUDIEMOS LA GRAMÁTICA

**a. Comparisons -** Las comparaciones:
Las palabras que se usan generalmente para hacer comparaciones son los adjetivos, que, como ya estudiamos, describen o dan características de un sustantivo que puede referirse a una persona, un lugar o una cosa.

a **tall** girl  una muchacha **alta**     a **big** car  un automóvil **grande**

adjetivo

a **small** house   una casa **pequeña**

para hacer comparaciones fíjate en las siguientes reglas:

En los adjetivos cortos en general, se agrega **–er:**

tall**er**: **más** alta/o
bigg**er**: **más** grande
small**er**: **más** pequeña/o
nic**er**: **más** agradable
young**er**: **más** joven

**En los adjetivos cortos** que terminan en **y**, la **y** cambia por **i + er:**

| | |
|---|---|
| pretty: prett**ier** | **más** bonita/o |
| friendly: friendl**ier** | **más** amigable |
| easy: eas**ier** | **más** fácil |
| heavy: heav**ier** | **más** pesado/a |
| early: earl**ier** | **más** temprano |

**En los adjetivos largos**, se agrega more (más) / less (menos):

| | |
|---|---|
| intelligent: **more** intelligent | **más** inteligente |
| beautiful: **less** beautiful | **menos** linda/o |
| expensive: **more** expensive | **más** caro/a |
| interesting: **less** interesting | **menos** interesante |
| important: **more** important | **más** importante |

Cuando mencionamos las cosas, lugares o personas que comparamos, se agrega **than** (que), tanto con los adjetivos cortos como con los largos:

| | |
|---|---|
| Bill is **taller than** Luis | Bill es **más alto que** Luis |
| A Honda is **bigger than** a Lexus | Un Honda es **más grande que** un Lexus |
| English is **easier than** Spanish | El inglés es **más fácil que** el español |
| A Lexus is **more expensive than** a Honda | Un Lexus es **más caro que** un Honda |
| This book is **less interesting than** the other | Este libro es **menos interesante que** el otro |
| Love is **more important than** money | El amor es **más importante que** el dinero |

Algunos adjetivos cambian total o parcialmente al formar el comparativo:

| | |
|---|---|
| **good** (bueno) | **better** (mejor) |
| **bad** (malo) | **worse** (peor) |
| **far** (lejos) | **farther** (más lejos) |

| | |
|---|---|
| My new house is **better than** the old one | Mi nueva casa es **mejor que** la vieja |
| This movie is **worse than** the other one | Esta película es **peor que** la otra |
| San Diego is **farther than** Los Angeles | San Diego está **más lejos** que Los Angeles. |

**b.** También se pueden hacer comparaciones usando **as + adjetivo + as** (tan... como):

| | |
|---|---|
| A Honda is **as good as** a Lexus | Un Honda es **tan bueno como** un Lexus |
| My sister is **as intelligent as** my brother | Mi hermana **es tan** inteligente **como** mi hermano |

Y en negativo **not as + adjetivo + as** (no tan... como):

| | |
|---|---|
| A Honda **is not/isn't as expensive as** a Lexus | Un Honda **no es tan caro como** un Lexus |
| This house **isn't as big as** yours | Esta casa **no es tan grande como** la tuya |

# UNIDAD 18

## EN ESTA UNIDAD APRENDEREMOS:

### USEMOS EL IDIOMA
- *Señales de tráfico*
- *Vocabulario de tránsito*

### ESTUDIEMOS LA GRAMÁTICA
- *El verbo "must"*
- *"Don't have to" más verbo*
- *Prohibición "must not"*

**SACANDO LA LICENCIA DE CONDUCIR**

Luis le pregunta a Bill cómo sacar la licencia de conductor.

## 1 DIÁLOGOS

**Luis:** Bill, do I **have to** apply for a driver's license?
**Bill:** Yes, when you become a resident or get a job, you **must** apply for it.

Luis: Bill, ¿tengo que solicitar una licencia de conductor?
Bill: Sí, cuando estableces residencia o tomas un trabajo, **debes** solicitarla.

**L:** And where do I **have to** go?

L: ¿Y dónde tengo que ir?

**B:** You **have to** go to the Department of Motor Vehicles office, or
DMV, and you **must** complete
an application form.

**B:** **Tienes que** ir a una oficina del Departamento
de Automotores, o D.M.V, y **debes** completar
una forma de solicitud.

**L:** Do I **have to** pass any tests?
**B:** Yes, you **must** pass an eye exam
and a traffic laws and signs test.

**L:** ¿Tengo que pasar algún examen?
**B:** Sí, **debes** pasar un examen de la vista y otro
sobre las leyes y las señales de tránsito.

**L:** Oh, my God. Is it very difficult?

**L:** ¡Díos mío! ¿Es muy difícil?

**B:** Well, you **have to** learn the driving laws and understand traffic
signs in English. Many laws are
common sense, like… you
know… you **mustn't** drive if you
drink alcohol, you **mustn't** drive
faster than the speed limit…

**B:** Bueno, **tienes que** aprender las leyes de tránsito y entender las señales de tránsito en inglés. Muchas de las leyes son de sentido común, como… tú sabes… **no debes** manejar si
bebes alcohol, **no debes** manejar más rápido
que el límite de velocidad…

**L:** I see.

L: Entiendo.

**B:** Anyway you can get into the DMV website on the Internet and read the California Driving Handbook. You can learn many regulations there.

B: De todas maneras, puedes entrar en el sitio de internet de la DMV y leer el Manual de Manejo de California. Puedes aprender muchas reglas allí.

**L:** Great, I'll do it right away! And do I **have to** pick the license up from the same office?

L: ¡Fantástico, lo haré ya mismo! Y **tengo que retirar** la licencia de la misma oficina?

**B:** You **don't have to** pick it up from the office, you'll receive it in the mail.

B: No **tienes que** retirarla de la oficina, la recibirás por correo.

# 2 USEMOS EL IDIOMA

**a. Traffic signs -** Las señales de tránsito
Veamos el significado de algunas señales:

**Pare**

**Velocidad máxima 55**

**Ceda el paso**

**Two way
Doble sentido**

**No U turn
No girar en U**

**Manténgase a la derecha**

**No right turn
No girar a la derecha**

**Sentido único**

**No left turn
No girar a la izquierda**

**b.** Estudiemos el vocabulario relacionado con el tránsito:

**pedestrian:** peatón

**traffic light:** semáforo

**traffic signs:** señales de tránsito

**crosswalk:** cruce peatonal

**intersection:** cruce de calles

**highway / freeway:** autopista

**turnpike:** autopista con peaje

**toll:** peaje

**lane:** carril de una autopista

## 3 ESTUDIEMOS LA GRAMÁTICA

**a.** En *Unit 4, Lesson 4B*, estudiamos que para expresar algo que es necesario hacer se usa **have to** en afirmaciones y preguntas:

You **have to** go to an office of the Department of Motor Vehicles

Do I **have to** apply for a driver license?

**Tienes que** ir a una oficina del Departamento de Automotores

¿**Tengo que** solicitar la licencia de conductor?

Ahora veremos que para expresar que **es necesario u obligatorio hacer algo,** sobre todo en el **lenguaje escrito**, o cuando se trata de **leyes, reglas o señales,** se usa el auxiliar **must** + verbo en infinitivo:

You **must** complete an application form

You **must** get a California Driver's License if you're a resident

You **must** pass an eye exam

**Usted debe** completar una forma de solicitud.

**Usted debe** obtener una licencia de conductor de California si es residente

**Usted debe** pasar un examen de la vista

**b.** Cuando se quiere expresar que **no es necesario** hacer algo, se usa **don't / doesn't have to** + verbo en infinitivo:

You **don't have to** pick it up from the office, you'll receive it in the mail

No **tienes que** retirarla de la oficina, la recibirás por correo

I **don't have to** go to the supermarket Bill will go later

No **tengo que** ir al supermercado, Bill irá más tarde

You **don't have to** sign. It's not necessary

No **tienes que** firmar. No es necesario

**c.** Cuando se debe expresar una **prohibición**, se usa **must not** o la forma contraída **mustn't:**

You **mustn't** drive if you drank alcohol

No **debes** conducir si bebiste alcohol

You **mustn't** drive faster than the speed limit

No **debes** conducir más rápido que el límite de velocidad

A menudo también se usa **can't** para expresar prohibición cuando hablamos:

You **can't** drive if you drank alcohol

No **puedes** conducir si bebiste alcohol

# UNIDAD 19

## EN ESTA UNIDAD APRENDEREMOS:

**USEMOS EL IDIOMA**
- *Ofrecer ayuda en la tienda*
- *Buscar algo para comprar y entregar algo*
- *Si sólo estás mirando y cuánto cuesta*
- *Si lo compras y a la hora de pagar*
- *Combinar colores y los colores*

**ESTUDIEMOS LA GRAMÁTICA**
- *"One", "the one" y "which one"*
- *Adjetivos: posición en la frase*
- *Adjetivos sin plural y preposicion "for"*
- *Sustantivos siempre en plural Un par de...*

## COMPRANDO ROPA

Luis va al centro comercial a comprar una camiseta para Rosa, su hermana.

## 1 DIÁLOGOS

**Salesclerk:** Hi, **how can I help you?**
**Luis: I'm looking for** a t-shirt.

Vendedora: Hola, ¿en qué puedo ayudarlo?
Luis: Estoy buscando una camiseta.

**S:** Is it **for** you?
**L:** No, it's **for** my sister.

V: ¿Es para Ud?
L: No, es para mi hermana.

S: **What size is she?**
L: I think she's a **small.**
S: They are on that shelf.

S: ¿Qué talla es?
L: Creo que es small.
V: Están sobre aquel estante.

L: **Which one**, the shelf on the right or **the one** on the left?
S: **The one** on the right.

L: ¿Cuál, el estante de la derecha o el de la izquierda?
V: El de la derecha.

L: Are they **small?** I think Rosa is very small. These t-shirts look big.
S: Then, she's an **extra small.**
L: Yes, I **guess** an **extra small** will **fit** her. **What colors do they come in?**

L: ¿Son small? Creo que Rosa es muy pequeña. Estas camisetas parecen grandes.
V: Entonces es extra small.
L: Supongo que una extra small le sentará. ¿En qué colores vienen?

S: They come in **green, pink, lavender, yellow, orange, red**...
L: I like the **pink one. How much is it?**

S: Vienen en verde, rosa, lavanda, amarillo, anaranjado, rojo...
L: Me gusta la rosa. ¿Cuánto cuesta?

S: $15 plus tax.
L: I want to buy **a pair of** tennis shoes **to match with** the t-shirt.

V: US$15 más impuesto.
L: Quiero comprar **un par de** zapatos tenis **que le combinen** con la camiseta.

S: Sure, there are some on sale. What size?
L: I'm sure she's a 5.
S: **There you go.**

V: Seguro, hay algunos en oferta. ¿Qué número?
L: Estoy seguro que ella es un 5.
V: Aquí tiene.

L: How much is it?
S: It's $15 for the t-shirt, and $25 plus taxes for the tennis shoes. That makes $48.40. **How are you paying for this?**

L: ¿Cuánto es en total?
V: US$15 por la camiseta y US$25 más impuestos por los zapatos tenis. Son U$48.40. ¿Cómo va a pagar?

L: **Cash. Here you go.**
S: Thank you. Goodbye.
L: Now to the men's section. I need **a pair of** pants.

L: En efectivo. Aquí tiene.
V: Gracias. Adiós.
L: Ahora a la sección "Hombres". Necesito un par de pantalones.

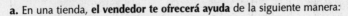

## 2 USEMOS EL IDIOMA

**a.** En una tienda, **el vendedor te ofrecerá ayuda** de la siguiente manera:

**May I help you?**

**Can I help you?** ● ¿Puedo ayudarlo?

**How can I help you?**

**b. Cuando buscas algo para comprar**, puedes usar las siguientes frases:

| | |
|---|---|
| **I am looking for** a pair of jeans. | Estoy buscando un par de jeans |
| **I'd like to see** | Quisiera ver |
| **I want** | Quiero |
| **I need** | Necesito |

**c. Al entregar algo**, puedes decir:

**Here you go**

**There you go** ● Aquí tiene

**d. Si sólo estás mirando,** puedes decir:

**I'm just looking**, thanks    Sólo estoy mirando, gracias

**e.** Para preguntar **cuánto cuesta** algo, puedes decir:

**How much** is it?

**How much** is this? ● ¿Cuánto cuesta?

**How much** does this cost?

**f.** Si **lo compras,** dirás:

**I'll take** it ⌐ Lo/la llevo
         them ⌐ Los/las llevo

**g. A la hora de pagar**, te preguntarán:

**How are you paying?**    ¿Cómo va a pagar?

**How do you want to pay?**    ¿Cómo quiere pagar?

INGLÉS EN 100 DÍAS / 131

**h.** Y podrás contestar:

**cash**

**in cash** ─────● en efectivo

**with a credit card**──● con tarjeta de crédito

**i.** Cuando hablas de **combinar colores,** puedes decir:

Can I see a pair of pants **to match** with this blue t-shirt?
¿Puedo ver un par de pantalones **que combinen** con esta camiseta azul?

I am looking for a color **to match** with navy blue
Estoy buscando un color **que combine** con azul marino

**j. The colors** - Los colores

| brown | marrón | blue | azul |
|-------|--------|------|------|
| orange | anaranjado | gray | gris |
| red | rojo | black | negro |
| yellow | amarillo | white | blanco |
| green | verde | pink | rosa |

cuando los colores son más claros, se usa **light:**
light blue: azul claro, celeste

cuando son más oscuros, se usa **dark:**
dark blue: azul oscuro

# 3 ESTUDIEMOS LA GRAMÁTICA

**a.** Para evitar la repetición de sustantivos usamos las palabras **one"** or **the one:**

The **t-shirt** on the shelf is **extra small**, the one on the table is **small**
La **camiseta** sobre el estante es **extra small**, la que está sobre la mesa es **small**

I like this red **shirt,** but I like the blue **one** too
Me gusta esta **camisa** roja, pero me gusta **la** azul también

**b.** Cuando hay **varias opciones**, para saber a cuál te refieres puedes preguntar:
**Which one?** que significa **¿Cuál?**

I want to see that t-shirt, please

Quiero ver esa camiseta, por favor

**Which one**, the green **one** or the gray **one**? ¿Cuál, **la** verde o **la** gris?

**c. The adjectives -** Los adjetivos. Se colocan siempre **delante del sustantivo**:

| | |
|---|---|
| The **yellow** handbag is $35 | La cartera **amarilla** cuesta U$35 |
| This is a **small** t–shirt. | Esta es una camiseta **pequeña** |
| That is a **heavy** bag. | Esa es una bolsa **pesada** |

O **detrás** del verbo **to be**:

| | |
|---|---|
| The handbag **is yellow** | La cartera **es amarilla** |
| This t–shirt **is small** | Esta camiseta **es pequeña** |
| That bag **is heavy** | Esa bolsa **es pesada** |

Los adjetivos en inglés **no tienen plural:**

| | |
|---|---|
| a **yellow** t-shirt | una camiseta **amarilla** |
| five **yellow** t-shirts | cinco camisetas **amarillas** |
| | |
| a pair of **brown** shoes | un par de zapatos **marrones** |
| two pairs of **brown** shoes | dos pares de zapatos **marrones** |

**d.** La preposición **for** indica que **algo es para alguien:**

| | |
|---|---|
| Is it **for** you? | ¿Es **para** ti? |
| No, it's **for** my sister | No, es **para** mi hermana |

**e.** Estos sustantivos se escriben siempre en plural:

**shorts:** pantalón/es corto/s    **pants:** pantalón/es largo/s
**jeans:** pantalón/es de jean    **glasses:** anteojos

Para indicar que nos referimos a un solo artículo, debemos usar **a pair of** (un par de):

| | |
|---|---|
| The **pants** are on that shelf | Los **pantalones** están en aquel estante |
| I'll take this **pair of pants** | Llevo este pantalón |

**A pair of** también se usa con los siguientes objetos que **siempre son dos:**

a pair of  **gloves** (guantes)
          **boots** (botas)
          **shoes** (zapatos)
          **socks** (calcetines)

# UNIDAD 20

## EN ESTA UNIDAD APRENDEREMOS:

### USEMOS EL IDIOMA
- Pedir de qué tipo es un objeto
- La talla
- Ver alternativas de color y tamaño
- Algo que te queda bien
- Probar una prenda

### ESTUDIEMOS LA GRAMÁTICA
- "Too" (demasiado)
- "Enough"
- Pedir permiso
- Plurales de "this" y "that"

## CAMBIANDO LA ROPA

Luis compró un par de pantalones pero no le quedan bien y al día siguiente decide ir a cambiarlos.

## 1 DIÁLOGOS

**Salesclerk:** Good morning sir. **May I help you?**

**Luis:** Uh... Yes, please. I bought these pants yesterday and they don't fit me. Could I change them?

**Vendedor:** Buenos días, señor. ¿Puedo ayudarlo?
**Luis:** Eh,... sí, por favor. Ayer compré estos pantalones y no me quedan bien. ¿Podría cambiarlos?

• • • • • • • • • • • • • • • • • • • • • • • • • • • • • • • • • • • •

**S:** OK. Let me see. What's the problem with them?

**L:** Well... I'm a **medium**, but...

**V:** Está bien. Déjeme ver... ¿Cuál es el problema?
**L:** Bueno... Yo soy un **medium**, pero....

S: These are perfect, they are **medium**.
L: Yes, but they are not long **enough**, they are **too** short.

V: Estos son perfectos, son medium.
L: Sí, pero no son suficientemente largos, son demasiado cortos.

S: Oh, I see. Why don't you **try** these **on**?
L: **What kind** of pants are they?

V: Ah! Ya veo. ¿Por qué no se prueba estos?
L: ¿Qué tipo de pantalones son?

S: They are the same pants but **large**.
L: Right. Thanks. (He goes to the dressing room.)

V: Son los mismos pantalones, pero son large.
L: Bien. Gracias. (Va al probador.)

S: How do they **fit** you?
L: Well, they don't **fit** me either. They're **too** big.

V: ¿Cómo le quedan?
L: Bueno, tampoco me quedan bien. Son demasiado grandes.

S: Then, **try** this pair in **medium**. How about it?
L: The **size** is OK, but they are not long **enough**.

V: Entonces pruébese éstos en medium. ¿Cómo le quedan?
L: La medida está bien, pero no son lo suficientemente largos.

S: Oh, the legs are **too** short. Let's see a **medium** with long legs. Here you are. **Try on** this pair, please.

V: Ah, las piernas son **demasiado** cortas, veamos un **medium** con piernas largas. Aquí tiene. Pruébese este par, por favor.

L: Oh, well, at last… These ones are fine. **I'll take them.**

L: Ah, bien, por fin ... Estos están bien. ¡Los llevo!

S: Good. Here you are. Bye!
L: Thank you very much for your help. Bye!

V: Bien. Aquí tiene. Adiós.
L: Muchas gracias por su ayuda. Adiós.

**a. Clothes -** La ropa.

suit: traje
shirt: camisa
tie: corbata
coat: abrigo

sweater: suéter
blouse: blusa
skirt: falda
dress: vestido

pants: pantalones
t-shirt: camiseta
raincoat: impermeable
scarf: bufanda
gloves: guantes

**b.** Cuando quieres saber **de qué tipo es determinado objeto** debes preguntar de la siguiente forma:

**What type** of...?
**What kind** of...?

¿**Qué tipo** de...?
¿**Qué clase** de...?

**What type** of t–shirt?
**What kind** of pants?

¿**Qué tipo** de camiseta?
¿**Qué clase** de pantalones?

**c. Size -** La talla:

Hay tres medidas:

**Large (L)**
**Medium (M)**
**Small (S)**

Grande, con sus variantes: XL, XXL, XXXL
Mediano/a
Pequeño/a, con sus variantes: XS, XXS

**d.** Cuando deseas ver un **artículo en colores o tamaños diversos**, debes solicitarlo de esta manera:

**May** I see this **in** pink?
**Can** I have it **in** extra large?
**May** I have it **in** yellow?

¿Puedo ver esto **en** rosa?
¿Puedo tener esto **en** extra grande?
¿Puedo verlo **en** amarillo?

**e.** Los verbos, **suit** y **go:**
Los podrás usar para expresar que **una prenda o un color te sienta bien:**

This color **suits** me very well.
These jeans **suit you**.
This t-shirt **goes** well **with** my new jeans.

Este color **me queda** muy bien.
Estos jeans **te sientan**.
Esta camiseta **va** bien **con** mis nuevos jeans.

**f.** Cuando te vas a **probar una prenda,** debes usar el verbo **try on:**

I'll **try on** this t-shirt
Please, **try on** these shoes
May I **try on** that raincoat?

Me **probaré** esta camiseta
Por favor, **pruébese** estos zapatos
¿Puedo **probarme** ese impermeable?

# 3 ESTUDIEMOS LA GRAMÁTICA

**a. Too** - Demasiado

Debes usar **too** delante del adjetivo:

| | |
|---|---|
| This pair of pants is **too big** | Este par de pantalones es **demasiado grande** |
| These shoes are **too small** | Estos zapatos son **demasiado pequeños** |

**b. Enough** - Suficientemente

Debes usar **enough** después del adjetivo:

| | |
|---|---|
| This t-shirt i**s not big enough** | Esta camiseta **no es suficientemente grande** |
| That skirt **is not long enough** | Esa falda n**o es suficientemente larga** |
| This scarf is **not long enough** | Esta bufanda **no es suficientemente larga** |

**c.** Para **pedir permiso** se usa **may, can, could** en forma interrogativa:

| | | |
|---|---|---|
| **Mas formal** | **May** I see those jeans? | ¿**Podría** ver esos jeans? |
| | **May** I see them in blue? | ¿**Podría** verlos en azul? |
| **Neutral** | **Could** I try on this pair? | ¿**Podría** probarme este par? |
| **Mas informal** | **Can** I try them on? | ¿**Puedo** probármelos? |

Y las respuestas pueden ser:

| **Afirmativas** | **Negativas** |
|---|---|
| Yes, you **may**. Sí, puede | No, you **may not**. No, no puede |
| Yes, you **can**. Sí, puede | No, you **can't**. No, no puede |
| **Sure**. Seguro | **I'm sorry but you can't.** Lo siento, pero no puede |
| **Certainly**. Seguro | **I'm afraid you can't.** Me temo que no puede |
| **Of course**. Por supuesto | |

**d.** En Unit 1, Lesson 1B, estudiamos **this** (este, esta, esto) y **that** (ese, esa, eso, aquel, aquella, aquello):

Ahora veamos los **plurales:**

| Singular | Plural |
|----------|--------|
| this | these |

**These** significa estas, estos ⟶ algo que está cerca de ti

| I bought **these** pants yesterday | Compré **estos** pantalones ayer |
| Why don't you try **these** on? | ¿Por qué no se prueba **estos**? |
| **These** blouses are beautiful | **Estas** blusas son bonitas |

| Singular | Plural |
|----------|--------|
| that | those |

**Those** significa esas, esos, aquellas, aquellos ⟶ algo que está lejos de ti

| **Those** shoes are black | **Aquellos** zapatos son negros |
| How about **those** skirts? | ¿Qué te parecen **aquellas** faldas? |
| **Those** are fine | **Aquellas** están bien |

# APUNTES

NIVEL 1

NIVEL 2

NIVEL 3

NIVEL 4

# NIVEL 5

NIVEL 6

# UNIDAD 21

## EN ESTA UNIDAD APRENDEREMOS:

### USEMOS EL IDIOMA
- *Sistemas de medición*
- *Maneras de enviar correspondencia*

### ESTUDIEMOS LA GRAMÁTICA
- *El adverbio "how"*
- *Verbos que se usan al enviar correo*

## EN EL CORREO

Luis va al correo para enviarle el regalo de cumpleaños a su hermana Rosa.

---

## 1 DIÁLOGOS

**Luis:** Good afternoon, I'd like to **send** this package.
**Clerk:** What are you **mailing**, sir?
**L:** A gift for my sister. It's a t-shirt and a pair of tennis shoes.

**Luis:** Buenas tardes, quisiera **enviar** este paquete.
**Empleado:** ¿Qué va a **enviar**, señor?
**L:** Un regalo para mi hermana. Es una camiseta y un par de zapatos tenis.

**C:** Can you fill in this form, please? It's a customs requirement. How much did the gift cost?

**E:** ¿Puede completar esta forma, por favor? Es una exigencia de la aduana. ¿Cuánto costó el regalo?

**L: $48.40.**
**C: How much does it weigh?**

L: US$48,40.
E: ¿Cuánto pesa?

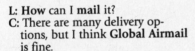

**L: Uh… I don't know.**
**C: Let's put it on the scale… it's two pounds.**

L: Eh… no lo sé.
E: Pongámoslo en la balanza… son dos libras.

**L: How can I mail it?**
**C: There are many delivery options, but I think Global Airmail is fine.**

L: ¿Cómo puedo enviarlo?
E: Hay muchas opciones de envío, pero creo que Vía Aérea está bien.

**L: How long does it take to get to Mexico?**

L: ¿Cuánto tarda en llegar a México?

**C:** It takes between 4 and 10 days, and it costs $12.50.

E: Tarda entre 4 y 10 días, y cuesta US$12,50.

**L:** O.K, I'll send it that way. One last question. **How** can I **send** money to Mexico?

L: Está bien, lo enviaré de esa manera. Una última pregunta. ¿**Cómo** puedo **enviar** dinero a México?

**C:** It's easy to **wire** money to Mexico. You send a money order, and your family can receive it at any post office there.

E: Es fácil **girar** dinero a México. Usted envía un giro y su familia puede recibirlo en cualquier oficina de correos allá.

**L:** Good. Thank you very much. Bye.
**C:** Bye, bye.

L: Bien. Muchísimass gracias. Adiós.
E: Adiós.

# 2 USEMOS EL IDIOMA

**a.** Fíjate en las equivalencias entre los **diferentes sistemas de medición**.

| Sistema usado en EE.UU | Sistema métrico |
|---|---|
| 1 ounce (oz.) | (1 onza) = 28 grams (28 gramos) |
| 1 pound (lb.) | (1 libra) = 0.454 kilograms (0.454 kilogramos) |
| 1 gallon (gal.) | (1 galón) = 4 liters (4 litros) |
| 1 inch (in.) | (1 pulgada) = 25 millimeters (25 milímetros) |
| 1 foot (ft.) | (1 pie) = 30 centimeters (30 centímetros) |
| 1 yard (yd.) | (1 yarda) = 90 centimeters (90 centímetros) |
| 1 mile (m) | (1 milla) = 1.6 kilometers (1.6 kilómetros) |

**b.** Veamos las **diferentes maneras de enviar correspondencia:**

| | |
|---|---|
| **Global economy** | Económico |
| **Global airmail** | Vía aérea |
| **Surface mail** | Correo terrestre |
| **Global express mail** | Correo expreso |
| **Global express guaranteed** | Correo expreso certificado |

**a.** Preguntas con la palabra interrogativa **how:**
Cuando se usa sola, **how** quiere decir **cómo:**

| | |
|---|---|
| **How** are you? | ¿**Cómo** estás? |
| **How** is the weather today? | ¿**Cómo** está el tiempo hoy? |
| **How** can I get to the High Hills Hotel? | ¿**Cómo** puedo llegar al Hotel High Hills? |

Cuando se la **combina con otra palabra**, tiene diferentes significados:

### How + often:
para preguntar con qué frecuencia se hace algo *(Unit 3, Lesson 3B)*

| | |
|---|---|
| **How often** do you go jogging? | ¿**Con qué frecuencia** sales a correr? |

### How + old:
para preguntar la edad *(Unit 2, Lesson 2B)*

| | |
|---|---|
| **How old** is your sister? | ¿**Cuántos años** tiene tu hermana? |

### How + far:
para preguntar por distancia

| | |
|---|---|
| **How far** is it? | ¿**A qué distancia** está? |
| **How far** is the school? | ¿**A qué distancia** está la escuela? |

### How + much:
para preguntar por el precio de algo

| | |
|---|---|
| **How much** is it? | ¿**Cuánto cuesta**? |
| **How much** is this shirt? | ¿**Cuánto cuesta** esta camisa? |
| **How much** does this shirt cost? | ¿**Cuánto cuesta** esta camisa? |

### How + much:
para preguntar por cantidad con un sustantivo incontable *(Unit 7, Lesson 7A)*

| | |
|---|---|
| **How much** money do you have? | ¿**Cuánto** dinero tienes? |
| **How much** water did you drink? | ¿**Cuánta** agua bebiste? |

### How + many:
para preguntar por cantidad con un sustantivo contable *(Unit 7, Lesson 7A)*

| | |
|---|---|
| **How many** gifts are you sending? | ¿**Cuántos** regalos va a enviar? |
| **How many** languages do you speak? | ¿**Cuántos** idiomas hablas? |

## How + long:

Para preguntar por el tiempo que lleva hacer una actividad. Se combina con el verbo **take**, que en este caso significa "llevar" o "tardar"

**How long** does it **take** to get to Mexico?
¿**Cuánto tiempo tarda** en llegar a México?
**How long** does it **take** to travel from Los Angeles to San Francisco?
¿**Cuánto tiempo lleva** viajar desde Los Angeles hasta San Francisco?

Para **contestar** se usa **it + takes:**

**It takes** between 4 and 10 days     **Tarda/lleva** entre 4 y 10 días
**It takes** 7 hours     **Tarda/Lleva** 7 horas

**b.** Estudiemos estos **verbos relacionados con el envío de correspondencia:**

| | |
|---|---|
| **Send Mail** ⟶ | **a letter /a postcard /a package** |
| | (enviar una carta/tarjeta/ un paquete por correo) |

| | |
|---|---|
| **Deliver** ⟶ | **a letter /a postcard /a package** |
| | (repartir o entregar una carta/ tarjeta/un paquete) |

| | |
|---|---|
| **Wire** ⟶ | **money** (girar dinero) |

I'd like to **send** this letter.     Quisiera **enviar** esta carta.
They are **wiring** money home.     Ellos están **enviando** dinero a su casa.
The postman **delivers** letters.     El cartero **reparte** cartas.

# UNIDAD 22

## EN ESTA UNIDAD APRENDEREMOS:

### USEMOS EL IDIOMA
- *Verbos que se usan en bancos*
- *Palabras que se usan en bancos*

### ESTUDIEMOS LA GRAMÁTICA
- *Pedir confirmación en el presente*
- *Todavía ("still" y "yet")*
- *Ordenar y enumerar acciones*
- *Verbos usados con el dinero*

## EN EL BANCO

Luis va a un banco para abrir una cuenta corriente.

---

## 1 DIÁLOGOS

**Luis:** Good morning. I'd like to **open an account**.

Luis: Buenos días. Me gustaría abrir una cuenta.

· · · · · · · · · · · · · · · · · · · · · · · · · · · · · · · · · · · · ·

**Clerk:** At this moment we are offering "The One Account". This account offers a **checking account, a savings account, a debit card and a credit card**. It costs $10 per month.

Empleado: En este momento estamos ofreciendo "La Cuenta Única". Esta cuenta ofrece una cuenta corriente, una caja de ahorros, una tarjeta de débito y una tarjeta de crédito. Cuesta US$10 por mes.

**L:** Can I operate my account through the phone or the Internet?

L: ¿Puedo operar mi cuenta por teléfono o por Internet?

**C:** Yes. Our telephone **banking system** offers account information 24hs a day.

E: Sí. Nuestro **sistema de operaciones bancarias por teléfono** ofrece información las 24hs del día.

**L:** I **still** have some questions. What other services do you provide?

L: **Todavía** tengo algunas preguntas. ¿Qué otros servicios ofrecen?

**C:** You will have a **card to withdraw money** from an ATM.
**L:** **Debit cards** are expensive, aren't they?

E: Ud. tendrá una **tarjeta para retirar dinero** del cajero automático.
L: Las **tarjetas de débito** son caras, ¿verdad?

**C:** No, our customers get debit cards **free of charge**.

E: No, nuestros clientes reciben tarjetas de débito sin cargo.

**L:** O.K. I'll open "The One Account". What do I have to do?

L: Muy bien. Abriré "La Cuenta Única". ¿Tengo que hacer?

**C:** **First** fill in your name here... **after that** your address, and **then** your ID number. **Finally**, you have to sign here. That's all.

E: Primero complete con su nombre aquí... después su dirección y luego su número de documento. Finalmente, tiene que firmar aquí. Eso es todo.

**L:** Thank you very much for your help.

L: Muchísimas gracias por su ayuda.

**a-** Algunos verbos relacionados con **operaciones bancarias** son:

| | |
|---|---|
| **To open** an account | **abrir** una cuenta |
| **To transfer** money | **transferir** dinero |
| **To withdraw** money | **retirar** dinero |
| **To deposit** money | **depositar** dinero |
| **To get** balance information | **obtener** movimientos de cuentas |

**b-** Otras palabras **que se refieren** a operaciones bancarias:

| | |
|---|---|
| Mortgage | hipoteca |
| Personal Loan | préstamo personal |
| Interest rate | tasa de interés |
| Overdraft | sobregiro |
| Monthly payments | cuotas mensuales |
| ATM (Automatic Teller Machine) | cajero automático |
| Debit card | tarjeta de débito |
| Credit card | tarjeta de crédito |
| Checkbook | chequera |
| Bank statement | resumen bancario |
| Cash | efectivo |
| Transactions | transacciones |

# 3 ESTUDIEMOS LA GRAMÁTICA

**a. Cómo pedir confirmación en el presente:** En español, cuando dices algo y quieres que la persona que está hablando contigo lo confirme, dices **¿verdad?** o **¿no?** al final de la frase, cualquiera sea el tiempo verbal en el que hablas (presente-pasado-futuro):

Hace calor, **¿verdad?**
**¿no?**

En inglés, **debes repetir el pronombre y el verbo to be o el auxiliar al final de la oración.** Si el verbo está en **afirmativo**, la **pregunta** se hace en **negativo.** Si el verbo está en **negativo**, la **pregunta** se hace en **afirmativo.** Veamos los ejemplos:

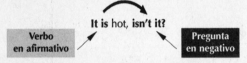

**It is** hot, **isn't it?**

| Verbo en afirmativo | Pregunta en negativo |

Con el verbo **to be:** Se repite **el pronombre y el verbo:**

| Verbo en afirmativo | Pregunta en negativo |

**She is** opening an account, **isn't she?**  Ella está abriendo una cuenta, ¿no?
**They are** very expensive, **aren't they?**  Ellos son muy caros, ¿verdad?

| Verbo en negativo | Pregunta en afirmativo |

**You aren't** withdrawing money, **are you?**  No está retirando dinero, ¿no?
**She isn't** at the bank, **is she?**  Ella no está en el banco, ¿verdad?

Con todos los **demás verbos:**
Se repite el auxiliar que corresponda y el pronombre. Nunca se usa el verbo:

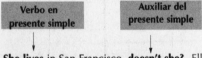

| Verbo en presente simple | Auxiliar del presente simple |

**She lives** in San Francisco, **doesn't she?**  Ella vive en San Francisco, ¿no?

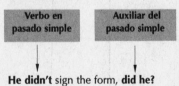

| Verbo en pasado simple | Auxiliar del pasado simple |

**He didn't** sign the form, **did he?**  Él no firmó la forma, ¿verdad?

**b.** Para decir "todavía" se usan dos adverbios: **still** y **yet**
Still se usa **después del verbo to be:**

I'm **still** tired                    **Todavía** estoy cansado

Y **delante de** los demás verbos:

    I **still** have one more question  Yo **todavía** tengo una pregunta más
    Do you **still** have a question?  ¿**Todavía** tienes una pregunta?

En las negaciones debe usarse **yet** al final de la frase. Por ejemplo:

    I'm **not** sure **yet**                Yo **no** estoy seguro **todavía**
    I don't have a card **yet**          **No** tengo una tarjeta **todavía**

**c.** Cuando se necesita **ordenar o enumerar acciones,** se utilizan las siguientes palabras:

| | |
|---|---|
| **First** | Primero/En primer lugar |
| **After that** | Después de eso |
| **Then** | Luego |
| **Finally** | Finalmente |

Observa estos ejemplos:

    **First** you have to sign here, **after that** you must sign the back of your
        card, **and finally** you can use your credit card.
    Primero debes firmar aquí, después tiene que firmar al dorso de la tarjeta
        y finalmente puede usar su tarjeta de crédito.
    When you open an account, **first** you fill in a form and **then**, you receive your card.
    Cuando abres una cuenta primero necesitas llenar un formulario y despues recibirás tu tarjeta.

**d.** Cuando se habla de **gastar dinero,** se usan dos verbos:

uno transmite una idea neutral   ⟶   **spend:** gastar
otro transmite una idea negativa   ⟶   **waste:** malgastar

I **spend** $100 per month in gas       **Gasto** US$ 100 por mes en gasolina
He **wastes** a lot of money on cars    El **malgasta** mucho dinero en autos

Estos dos verbos también están relacionados con el dinero:

**Borrow** (pedir prestado)       **Lend** (prestar)

She **borrows** money from the bank   Ella **pide prestado** dinero al banco
The bank **lends** her money          El banco le **presta** (a ella) dinero

# UNIDAD 23

## EN ESTA UNIDAD APRENDEREMOS:

### USEMOS EL IDIOMA
- Palabras usadas en el correo electrónico
- El verbo hope
- Palabras para describir un apartamento

- Formas y materiales

### ESTUDIEMOS LA GRAMÁTICA
- El Genitivo Sajón
- Preposiciones de lugar: "in, on, at"

**UN APARTAMENTO CÓMODO**

Luis le envía un correo electrónico a su hermana Rosa y le cuenta cómo es el departamento en el que vive con Bill.

## 1 DIÁLOGOS

(Luis is writing an e-mail to his sister)
Dear Rosa,
**I hope** you liked the gifts I sent you for your birthday.

(Luis le escribe un correo electrónico a su hermana)
Querida Rosa,
**Espero** que te hayan gustado los regalos que te envié para tu cumpleaños.

Did you enjoy your party? Tell me about it!
I just got back from work. I have to **clean up** a bit,

¿Disfrutaste de tu fiesta? ¡Cuéntame acerca de ella!
Yo acabo de regresar del trabajo. Tengo que hacer un poco de limpieza,

but I'm pretty tired. **Bill's apartment** is small, but it's comfortable.

pero estoy muy cansado. El departamento de
Bill es pequeño pero es cómodo.

There's a **living room**, a **kitchen**, a
**bedroom** and a **bathroom**.

Hay una sala de estar, una cocina, un dormitorio y un baño.

In the **living room**, there's a **big
window**, a **brown couch**, a **square
coffee table**, a **rectangular rug** and
a **metal lamp**.

En la sala de estar hay una gran ventana, un
sofá marrón, una mesa de centro cuadrada, una
alfombra rectangular y una lámpara de metal.

There are a lot of photographs of
**Bill's friends and family** on the
**walls**.

Hay un montón de fotografías de los amigos y
la familia de Bill sobre las paredes.

I'm going to put some of my **family's photos** too! In the **kitchen**, there's **a round glass table** and there are two **chairs**.

¡Pondré algunas fotos de mi familia también! En la cocina, hay una mesa redonda de vidrio y dos sillas.

The **bathroom** isn't very big **either**, but there's a **bathtub**.

El baño no es muy grande tampoco, pero hay una bañera.

There's a **window** in the bedroom **too**, two **beds** and a **closet**. And we have a computer **on** a small **desk**. I'll send you some photographs soon!

Hay una ventana en el dormitorio también, dos camas y un ropero. Y tenemos una computadora sobre un escritorio pequeño. ¡Te enviaré algunas fotos pronto!

**Take care**, and study English! Love, Luis

Cuídate, y ¡estudia inglés! Cariños, Luis

# 2 USEMOS EL IDIOMA

**a.** Fíjate en lo que dicen los casilleros del correo electrónico:

| Para | **To** | rflores@email.com | Dirección de la persona a la que envías tu mensaje |
| De | **From** | lflores@email.com | Tu dirección |
| Asunto | **Subject** | Hi, sister! | Un saludo o una referencia |

De esta forma se leen los signos en una dirección de correo electrónico:

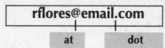

**rflores@email.com**

at      dot

**b.** Para expresar **algo que esperas que haya sucedido** (en el pasado) **o que suceda** (en el futuro), se usa el verbo **hope** (esperar, tener la esperanza):

| I **hope** you liked the gifts! | ¡**Espero** que te hayan gustado los regalos! |
| I **hope** they had a nice weekend | **Espero** que ellos hayan tenido un buen fin de semana |
| I **hope** I'll finish early | **Espero** terminar temprano |

**c. An apartment** - Un departamento

- ceiling: techo
- door: puerta
- wall: pared
- window: ventana
- floor: piso

**Rooms:** habitaciones

living room: sala de estar
dining room: comedor
table: mesa
bedroom: dormitorio
bathroom: baño

**Furniture:** muebles

couch: sofá    bed: cama
chair: silla    kitchen: cocina
desk: escritorio
coffee table: mesa de centro

**Home appliances:** artefactos del hogar

refrigerator: refrigerador
stove: cocina
oven: horno

vacuum cleaner: aspiradora
washing machine: lavarropas
microwave oven: horno a microondas

**d. Shape** and **materials** - Formas y materiales

**Shape**   square (cuadrado/a)     **Material**  metal (metal)
          round (redondo/a)               wood (madera)
          rectangular (rectangular)       glass  (vidrio)

**e.** Veamos estas otras **maneras de despedirte:**

> **Take care!**             ¡Cuídate!
> **Look after yourself!**   ¡Cuídate!
> **Stay well!**            ¡Que sigas bien!

# 3 ESTUDIEMOS LA GRAMÁTICA

**a.** Para indicar posesión, estudiamos en *Unit 1, Lesson 1A* y en *Unit 2, Lesson 2A* los adjetivos posesivos **my / your / his / her / its / our / their**

Ahora veremos **el genitivo**, otra manera más de indicar posesión, que se forma agregando **'s** al sustantivo que se refiere a la persona que posee algo:

                 **Genitivo**

| | | |
|---|---|---|
| **Bill has** an apartment | Bill's apartment | El departamento de Bill |
| **My sister has** a book | My sister's book | El libro de mi hermana |
| **Annie has** a car | Annie's car | El auto de Annie |

Cuando el **sustantivo es plural, sólo se agrega el apóstrofo (')**:

| | | |
|---|---|---|
| My brothers have an apartment | My brothers' apartment | El departamento de mis hermanos |
| Her friends have a house | Her friends' house | La casa de sus amigos |

Cuando el nombre termina en **s**, se agrega **'s** o **'** dependiendo de cómo se pronuncia:

    James's car              Dennis's apartment
    (se pronuncia **"shéimziz"**)    (se pronuncia **"dénisiz"**)
    Mr. Ramos' office
    (se pronuncia Ramos)

**b.** Las preposiciones de lugar **in, on** y **at:**

| **in (en)** |
| :---: |
| **Significa dentro de un lugar cerrado o con límites:** |

|  |  |
| --- | --- |
| **in** the kitchen | **en** la cocina |
| **in** the park | **en** el parque |
| **in** a city | **en** una ciudad |

También se dice:
**in** the street : en la calle
**in** a car: en un automóvil
**in** the newspaper: en el diario
**in** bed: en la cama
**in** Los Angeles
**in** Australia

| **on (sobre)** |
| :---: |
| significa **apoyado sobre una superficie:** |

|  |  |
| --- | --- |
| **on** the table | **sobre** la mesa |
| **on** the wall | **sobre** la pared |
| **on** the floor | **sobre** el piso |

Fíjate en estos
otros ejemplos:
**on** Market Street: **en** la calle Market
**on** a bus: **en** un autobús
**on** a train: **en** un tren
**on** a plane: **en** un avión
**on** the first floor: **en** el primer piso
**on** the corner: **en** la esquina
**on** the right/left: **a** la derecha/izquierda
**on** the radio: **en** la radio

| **at (en)** |
| :---: |
| indica **ubicación en general:** |

**at** the door **en** la puerta    **at** the bus stop **en** la parada de autobuses
**at** the end of the street   **al** final de la calle

Se usa también
en estos casos:
**at** home: **en** casa
**at** work: **en** el trabajo
**at** school: **en** la escuela
**at** the airport: **en** el aeropuerto
**at** the gas station: **en** la gasolinería
**at** the conference: **en** la conferencia
**at** the concert: **en** el concierto

# UNIDAD 24

## EN ESTA UNIDAD APRENDEREMOS:

### USEMOS EL IDIOMA
- La palabra "mess"
- Adjetivos de limpieza
- Sugerir ordenar un lugar
- Tareas domésticas

### ESTUDIEMOS LA GRAMÁTICA
- Pronombres posesivos
- A quién pertenece algo "whose"
- Estar de acuerdo algo que dice alguien

### AMUEBLANDO EL APARTAMENTO

Bill y Luis hablan sobre cómo ordenar el departamento.

## 1 DIÁLOGOS

**Luis:** Look, Bill, this place is **a mess**. We have to **clean up**, don't we?
**Bill:** Uh, yeah, it's very **untidy**, I know. I don't like this **mess**, but…

Luis: Mira, Bill, este lugar es un lío. Tenemos que limpiar, ¿verdad?
Bill: Eh, sí, está muy desordenado, lo sé. No me gusta este desorden, pero...

• • • • • • • • • • • • • • • • • • • • • • • • •

**L:** I don't **either**. There are **dirty** glasses and empty pizza boxes on the table… books and papers on the floor…

L: A mí tampoco. Hay vasos sucios y cajas vacías de pizza sobre la mesa... libros y papeles sobre el piso...

**B:** Well, yes, this mess is **mine**, but in our bedroom, there's a jacket on my bed...

B: Bueno, sí, este desorden es mío, pero en nuestro dormitorio hay una chaqueta sobre mi cama...

**L:** Uh... that's **mine**.
**B:** ...and **smelly** socks on the chair... **whose are** they?

L: Eh... esa es mía.
B: ...y calcetines olorosos sobre la silla... ¿de quién son?

**L:** Well... they're **mine** too...

L: Bueno... son míos también...

**B:** ...and in the bathroom there are dirty clothes on the floor, they're **yours** too...

B: ...y en el baño hay ropa sucia sobre el piso, es tuya también...

L: ...yes, but **whose** is that shirt on the couch?

L: ...sí, pero ¿de quién es esa camisa sobre el sofá?

B: O.K. We're **both** making a mess. I've got an idea. I'll **wash the dishes, sweep the floors** and **tidy the living room**...

B: O.K. Ambos estamos causando este desorden. Tengo una idea. Yo lavaré los platos, barreré el piso y ordenaré la sala de estar...

B: ...And you'll **pick up your clothes, make the beds** and **clean the bathroom**.

B: ...Y tú recogerás tu ropa, harás las camas y limpiarás el baño.

L: Yuck, I **hate** cleaning the bathroom!
B: I do **too**!

L: ¡Aah, **odio** limpiar el baño!
B: ¡Yo **también**!

**a.** Fíjate en estas frases con la palabra **mess** (lío/desorden):

| | |
|---|---|
| This place is a **mess**! | ¡Este lugar es un **lío**! |
| What a **mess**! | ¡Qué **lío/ desorden**! |
| Look at this **mess**! | ¡Mira este **desorden**! |
| I don't like this **mess** | No me gusta este **desorden** |
| We're making a **mess** | Estamos **desordenando/ haciendo lío** |

**b.** Aprendamos estos adjetivos:

| | |
|---|---|
| **clean:** limpio | **dirty**: sucio |
| **tidy:** ordenado | **untidy:** desordenado |

**c.** Veamos qué se dice cuando sugieres ordenar un lugar:

| | |
|---|---|
| **We have to clean up!** | ¡Tenemos que limpiar! |
| **Let's clean up this mess!** | ¡Limpiemos este desorden! |
| **Let's clean** the kitchen | **Limpiemos** la cocina |
| bathroom | el baño |
| bedroom | el dormitorio |

**d.** Veamos algunas **tareas domésticas** que pueden hacerse para ordenar un lugar:

| | |
|---|---|
| **wash the dishes** | lavar los platos |
| **sweep the floor** | barrer el piso |
| **tidy the living room** | ordenar la sala de estar |
| **pick up the clothes** | recoger la ropa |
| **make the bed** | hacer la cama |
| **clean the bathroom** | limpiar el baño |
| **vacuum the carpet** | pasar la aspiradora por la alfombra |
| **dust the furniture** | sacar el polvo de los muebles |
| **iron the clothes** | planchar la ropa |

# 3 ESTUDIEMOS LA GRAMÁTICA

**a.** Otra manera de indicar posesión es usando los **pronombres posesivos:**

| | |
|---|---|
| **mine:** mío/a míos/as | **ours:** nuestro/a nuestros/as |
| **yours:** tuyo/a-suyo/a | **yours:** suyo (de ustedes) |
| **his:** suyo (de él) | **theirs:** suyo (de ellos/as) |
| **hers:** suyo (de ella) | |

Reemplazan a un sustantivo y se usan para evitar la repetición:

| adjetivo posesivo + sustantivo | pronombre posesivo | |
|---|---|---|
| This apartment is **my apartment** | This apartment **is mine** | Este departamento es **mío** |
| That shirt is **your shirt** | That shirt **is yours** | Aquella camisa es **tuya/suya** |
| This is **his book** | This book **is his** | Este libro es **suyo** (de él) |
| This car is **her car** | This car **is hers** | Este auto es **suyo** (de ella) |
| This is **our apartment** | This apartment **is ours** | Este departamento es **nuestro** |
| Those books are **your books** | Those books **are yours** | Aquellos libros son **suyos** (de ustedes) |
| These clothes are **their clothes** | These clothes **are theirs** | Estas prendas son **suyas** (de ellas/os) |

**b.** Para preguntar **a quién pertenece algo**, se usa **whose?** (¿de quién? / ¿de quienes?):

### whose + verbo to be en singular:

| | | |
|---|---|---|
| **Whose** is this book? | ¿**De quién** es este libro? | It's **mine.** Es **mío.** |
| **Whose** is this car? | ¿**De quién** es este automóvil? | It's **hers.** Es **suyo** (de ella). |

### whose + verbo to be en plural:

| | |
|---|---|
| **Whose** are those shoes? | ¿**De quién** son aquellos zapatos? |
| They're **his** | Son **suyos** (de él) |
| **Whose** are these socks? | ¿**De quién** son estos calcetines? |
| They're **yours** | Son **tuyos** |

### whose + sustantivo singular + verbo to be en singular:

| | |
|---|---|
| **Whose book is** this? | ¿**De quién** es este **libro?** |
| **Whose car is** that? | ¿**De quién** es aquel **automóvil?** |

### whose + sustantivo plural + verbo to be en plural:

| | |
|---|---|
| **Whose shoes are** those? | ¿**De quién** son aquellos **zapatos?** |
| **Whose socks are** these? | ¿**De quién** son estos **calcetines?** |

**c.** Cuando **estás de acuerdo con algo que alguien está diciendo**, puedes expresarlo de las siguientes maneras:

Si se trata de una **oración afirmativa**, se usa **too** (también), al final de la oración:

| | |
|---|---|
| A: **I am** very tired | **Estoy** muy cansado |
| B: **I am** very tired **too** | **Estoy** muy cansado **también** |
| A: **I like** cleaning up | **Me gusta** limpiar |
| B: **I like** cleaning up, **too** | **Me gusta** limpiar también |

Si es una **oración negativa**, se usa **either** (tampoco), al final de la oración:

| | |
|---|---|
| A: **I'm not** very tired | **No estoy** muy cansado |
| B: **I'm not** very tired **either** | **No estoy** muy cansado **tampoco** |
| A: **I don't** like cleaning up | **No me** gusta limpiar |
| B: **I don't** like cleaning up **either** | **No me** gusta limpiar **tampoco** |

**Para no repetir toda la frase**, puedes armar la respuesta de la siguiente manera: si en la frase se usa el **verbo to be**, debes repetirlo y agregar **too** si es una oración **afirmativa** o **either** si es **negativa**:

| | |
|---|---|
| A: I am very tired | **Estoy** muy cansado |
| A: I'm not very tired | **No estoy** muy cansado |
| B: I am too | **Yo** (estoy) **también** |
| B: I'm not either | **Yo** (no estoy) **tampoco** |

Si en la frase se usa **cualquier otro verbo**, no repites el verbo sino que se usa el **auxiliar que corresponda**:

| Oraciones afirmativas | Oraciones negativas |
|---|---|

**Verbo en presente continuo** · **Verbo to be**

I **am dusting** the furniture.  I **am too**.
Estoy limpiando los muebles. **Yo también**

**Verbo en presente continuo** · **Verbo to be**

I **am not dusting** the furniture.  I **am not either.**
No estoy limpiando los muebles. **Yo tampoco.**

**Verbo en presente simple** · **Auxiliar del presente simple**

I **like** cleaning up.  I **do too.**
Me gusta limpiar. A mi también.

**Verbo en presente simple** · **Auxiliar del presente simple**

I **don't** like cleaning up.  I **don't either.**
No me gusta limpiar. A mi tampoco.

**Verbo en pasado simple** · **Auxiliar del pasado simple**

I **washed** the dishes.  I **did too.**
Lavé los platos. **Yo también.**

**Verbo en pasado simple** · **Auxiliar del pasado simple**

I **didn't wash** the dishes.  I **didn't either.**
No lavé los platos. **Yo tampoco.**

# UNIDAD 25

## EN ESTA UNIDAD APRENDEREMOS:

**USEMOS EL IDIOMA**
- *Describir como se ve o siente alguien*
- *Sugerir algo*
- *Saber si hay algún problema*
- *Expresar preocupación*

**ESTUDIEMOS LA GRAMÁTICA**
- *El Futuro*
- *"Both… and" / "either… or" / "neither… nor"*
- *Verbos para describir percepciones y sensaciones*

## CITA A CIEGAS

Annie y Bill quieren que Luis conozca a Nicole, una amiga de Annie.

## 1 DIÁLOGOS

**Annie:** What's the matter?
**Bill:** I'm a bit **worried about** Luis. He **looks sad.**

Annie: ¿Qué sucede?
Bill: Estoy un poco preocupado por Luis. Se ve triste.

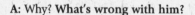

**A:** Why? What's wrong with him?

A: ¿Por qué? ¿Qué le pasa?

**B:** I think he **either** misses his family **or** his Mexican girlfriend. She left him when he came here and she **neither** phoned **nor** e-mail him.

**B:** Creo que o extraña a su familia o a su novia mexicana. Ella lo dejó cuando él vino aquí, y ni lo llamó ni le escribió por correo electrónico.

**A:** That's too bad! Maybe he **feels lonely**. Listen, I'm **going to do** something.
**B:** What? What **are** you **going to** do?

**A:** ¡Qué mal! Quizás se siente solo. Oye, voy a hacer algo.
**B:** ¿Qué? ¿Qué vas a hacer?

**A:** **Why don't** we arrange a blind date?
**B:** That sounds cool, but who is "the one"?

**A:** ¿Por qué no arreglamos una cita a ciegas?
**B:** Eso suena fantástico, ¿pero quién es "la elegida"?

**A:** Let me think... I've got it! Nicole, my best friend. I think they're going to match perfectly. **Both** work at international hotels.

**A:** Déjame ver... ¡Ya lo tengo! Nicole, mi mejor amiga. Creo que se van a llevar perfectamente. **Ambos** trabajan en hoteles internacionales.

**B:** O.K. let's do it. **I'm going to talk with** Luis. **What about** arranging something for, say... next Saturday?
**A:** Great!

**B:** O.K. Hagámoslo. **Hablaré** con Luis. ¿qué tal si organizamos algo para, digamos,... el próximo sábado?
**A:** ¡Excelente!

**B:** Only that...
**A:** **What's the matter** now?

**B:** Sólo que...
**A:** ¿Qué sucede ahora?

**B:** Are you sure they**'ll get along**?

**B:** ¿Estás segura de que **se llevarán bien**?

**A:** Well, at least Luis **will have** an opportunity to improve his English! (Both laugh)

**A:** ¡Bueno, al menos Luis **tendrá** una oportunidad para mejorar su inglés! (Ambos ríen)

**a.** Para describir **cómo se ve o se siente una persona** se pueden usar estos verbos:

| | | |
|---|---|---|
| **look** | He **looks** angry | Se **ve** enojado |
| **seem** | She **seems** sad | **Parece** triste |
| **feel** | I **feel** lonely | Me **siento** solo/a |

**b.** Para **sugerir** un plan o una actividad se puede decir:

**Why don't** we go to the movies?  ¿**Por qué no** vamos al cine?
**Why don't** we invite her?  ¿**Por qué no** la invitamos?

También se puede sugerir de esta forma:

**What about** going to a disco?  ¿**Qué tal si** vamos a una discoteca?
**What about** some tea?  ¿**Qué tal si** tomamos un poco de té?

**c.** Para **saber si hay algún** problema, preguntamos:

**What's the matter?**  ¿Qué sucede?
**What's the matter** with you?  ¿Qué sucede contigo?
**What's wrong?**  ¿Qué hay de malo?
**What's wrong** with him?  ¿Le pasa algo malo a él?

**d.** Para expresar preocupación se usa: **to be (am-is-are) worried** o **worried about**:

**I'm worried**  Estoy **preocupado/a**
**I'm worried about** Luis  Estoy **preocupado/a por** Luis
**I'm worried about** my job  Estoy **preocupado/a por** mi trabajo

# 3 ESTUDIEMOS LA GRAMÁTICA

**a. The future** - El futuro.

Para **hablar de planes o intenciones futuras,** puedes usar los auxiliares **be going to** y **will:**

| | |
|---|---|
| I **am going to** arrange an outing | **Voy a** organizar una salida |
| I **will arrange** an outing | **Organizaré** una salida |

Oraciones **afirmativas:**

I **am**       **going to**       do    something

verbo to be | + | going to | + | verbo en
en presente |   |          |   | infinitivo

I **will**       **do**    something

will + | verbo en
       | infinitivo

Puedes usar las contracciones con todas las personas:

**I'm / She's / They're** going to meet him

Yo **voy a**
**Ella van a**    } reunirse con él
**Ellos van a**

**You'll / We'll / He'll** meet her

**Tu/ustedes van a** reunirse con ella
**Nosotros vamos a** reunirnos con ella
**El va a** reunirse con ella

Ejemplos:

| | |
|---|---|
| I'm **going to** talk with her | Yo **voy a** hablar con ella |
| She's **going to** invite some friends | **Ella va** a invitar a algunos amigos/as |
| We'll visit Canada soon | **Nosotros visitaremos** Canadá pronto |
| You'll find a job | **Tú encontrarás** un trabajo |

Oraciones **negativas:**
Se agrega **not** después del **verbo to be** o de **will. Will not** puede contraerse y formar **won't:**

They**'re not going to** get along       **Ellos no** se van a llevar bien

She **will not** work there
She **won't** work there       } Ella **no va a** trabajar allí.

Oraciones **interrogativas**:

Para formarlas, el verbo **to be** o **will** se coloca **delante del pronombre**:

I **am** going to buy a car          They **will** meet this Friday

**Are** you **going** to buy a car ?   **Will** they **meet** this Friday?

Ejemplos:

**Are** they **going to** call her?     ¿**Van a** llamarla?

When **are** we **going to** travel?    ¿Cuándo **vamos a** viajar?

También se usa **will** cuando **decides algo en el momento en que estás hablando**:

Luis is sad. I**'ll talk** with him.     Luis está triste. **Hablaré** con él.

The telephone is ringing.
I**'ll** answer it.                       El teléfono esta sonando.
                                         Lo **contestaré.**

The restaurant is far. I**'ll** call a taxi.  El restaurant está lejos. **Llamaré** un taxi.

**c.** Estudiemos estas frases: **both ... and, either... or** y **neither... nor.** Fíjate que se colocan generalmente delante del sustantivo, adjetivo o verbo:

| **Both... and** (Ambos/as, tanto... como) |
|---|
| Indica que estoy hablando de dos cosas o personas juntas. |

**Both girls** speak Italian          **Ambas muchachas** hablan italiano

**Both** Bill **and** Annie are my friends   **Tanto** Bill **como** Annie son mis amigos

| **Either ... or** (O... o) |
|---|
| Indica una de dos opciones posibles. Se coloca delante del sustantivo, adjetivo o verbo. |

He is **either** sad **or** lonely      Él está **o** triste **o** solo

She can **either** stay **or** leave     Ella puede **o** quedarse **o** irse

| **Neither ... nor** (Ni...ni) |
|---|
| Indica que ninguna opción es posible. |

She **neither** phoned **nor** wrote e-mail him    Ella **ni** telefoneó **ni** le escribió un e-mail.

**Neither** Luis **nor** Bill ate vegetables.      Ni Luis **ni** Bill comieron verduras.

**d.** Los verbos **be, look, seem, feel** describen **percepciones** y **sensaciones**, y se usan **seguidos de adjetivos**:

|  | verbo + | adjetivo |  |
|---|---|---|---|
| I | **am** | **happy** | Soy **feliz** / Estoy **contento** |
| He | **looks** | **angry** | Él se ve **enojado** |
| They | **feel** | **sad** | Ellos **se sienten tristes** |
| He | **seems** | **glad** | Él **parece contento** |

# APUNTES

NIVEL 1

NIVEL 2

NIVEL 3

NIVEL 4

NIVEL 5

# NIVEL 6

# UNIDAD 26

## EN ESTA UNIDAD APRENDEREMOS:

### USEMOS EL IDIOMA
- *Reafirmar una idea*
- *Describir algo difícil*
- *Expresar acuerdo o conformidad*
- *Verbos "meet" y "know"*

### ESTUDIEMOS LA GRAMÁTICA
- *El Futuro*
- *Adverbios de tiempo*
- *Adverbios "very", "pretty" y "quite"*

---

### PRIMERA CITA

Bill trata de convencer a Luis para que conozca a alguien.

---

## 1 DIÁLOGOS

**Bill:** Hi, Luis! How are you?
**Luis:** I'm… tired, I guess…

Bill: ¡Hola Luis! ¿Cómo estás?
Luis: Estoy… cansado, supongo …

**B:** What **are you doing** this weekend?
**L:** **I'm working tomorrow morning** and then… nothing special.

B: ¿Qué harás este fin de semana?
L: Mañana a la mañana trabajaré y después,.. nada especial.

**B:** That's not very exciting. You know, Annie called me and told me about her best friend Nicole. She loves Mexico **and** she's **traveling there** this summer.

**B:** Eso no es muy divertido. Sabes, Annie me llamó y me contó acerca de su mejor amiga Nicole. Ella adora México y **viajará allí** este verano.

**L:** Thanks Bill, **but**... sorry. I don't feel like meeting anybody right now.

**L:** Gracias Bill, **pero**... lo siento. No tengo ganas de conocer a nadie ahora.

**B:** Come on, man! It's just meeting someone nice. You'll like her!

**B:** ¡Vamos, hombre! Es sólo conocer a alguien agradable. ¡Te va a gustar!

**L: But** it was very **hard** when Margarita left me. I don't want to suffer again.

**L: Pero** Bill, fue **difícil** cuando Margarita me dejó. No quiero sufrir otra vez.

**B:** I'm **really** worried about you. How can I help you?

B: Realmente estoy preocupado por ti. ¿Cómo puedo ayudarte?

**L:** I don't know... I **actually** feel **pretty** bad. I think I'll stay at home this weekend.

L: No lo sé... **Realmente** me siento **muy** mal. Creo que me quedaré en casa este fin de semana...

**B:** Absolutely not! You and Nicole **are meeting** next Saturday. **That's** settled!

B: ¡Absolutamente no! Tú y Nicole se encontrarán el próximo sábado ¡Está resuelto!

**L:** OK. I'll try to enjoy it, **but** I can't promise you anything.

L: OK. Trataré de disfrutarlo, **pero** no puedo prometerte nada.

**a.** Para **reafirmar una idea**, se usan las siguientes expresiones:

| | |
|---|---|
| **in fact** | de hecho |
| **really** | realmente |
| **actually** | en realidad / realmente |

| | |
|---|---|
| I like basketball, **in fact**, it's my favorite sport | Me gusta el basquetbol, **de hecho** esmi deporte favorito |
| I **really** play well | **Realmente** juego bien |
| Are you **actually** staying here? | ¿Te quedas aquí **realmente?** |

**b.** Para describir algo **difícil** puedes usar el adjetivo **hard:**

| | |
|---|---|
| It's **hard** to live alone | Es **duro** vivir solo |
| It's a **hard** day | Es un día **duro / difícil** |
| It's a **hard** work | Es un trabajo **duro** |

**c.** Para **expresar acuerdo o conformidad** con otra persona, podemos usar las siguientes expresiones:

| | |
|---|---|
| **That's settled!** | ¡Está resuelto! |
| **It's a deal!** | ¡Trato hecho! |
| **I agree with you.** | Estoy de acuerdo contigo. |

**d.** Los verbos **meet** (conocer/encontrarse) y **know** (saber/ conocer) se usan de la siguiente manera:

Cuando **conoces o encuentras a alguien** por primera vez debes usar **meet:**

| | |
|---|---|
| Luis **met** Bill in Cancun | Luis **conoció** a Bill en Cancún |

Cuando **ya conoces a una persona** debes usar **know:**

| | |
|---|---|
| Bill **knows** Luis very well | Bill **conoce** muy bien a Luis |

**a.** Fíjate en estas palabras que **unen o conectan** ideas:

| **and:** y | **but:** pero | **or:** o |
|---|---|---|

**And** se usa para **unir** dos palabras, frases o partes de oraciones **que están relacionadas:**

| Boys **and** girls | Chicos y chicas |
|---|---|
| She likes Mexico **and** Spain | A ella le gusta México y España |
| He is sad **and** lonely | Él está triste y solo |

**But** se emplea para expresar una **diferencia o contradicción:**

| I bought a car **but** I don't use it. | Compré un automóvil **pero** no lo uso. |
|---|---|
| My apartment is beautiful **but** very small | Mi departamento es bonito **pero** es muy pequeño |

**Or** conecta generalmente **diferentes opciones:**

| He's staying with you **or** at home | El se quedará contigo **o** en casa |
|---|---|
| We're traveling in the morning **or** in the afternoon | Nosotros viajaremos a la mañana **o** a la tarde |

**b. The future** - El futuro:

También se puede usar el tiempo **presente continuo** para hablar del futuro, cuando se trata de **planes que ya han sido definidos:**

| My parents **are coming** next year | Mis padres **vendrán** el año próximo |
|---|---|
| We**'re having** a party on Sunday | Nosotros **tendremos** una fiesta el domingo |
| **Are** you **leaving** at 10? | ¿**Te irás** a las 10? |
| **Is** he **going** out? | ¿**Él va a salir?** |
| They **aren't coming**. | **Ellos no vendrán** |
| I**'m not working** this Sunday | **No trabajaré** este domingo |

**c.** Veamos algunos **adverbios de tiempo** que se usan con el futuro:

| | |
|---|---|
| **soon:** pronto <br> **this** { **afternoon:** esta tarde <br>         { **evening:** esta noche <br> **tonight:** esta noche | **tomorrow:** mañana <br>           { **morning:** mañana a la mañana <br> **tomorrow** { **afternoon:** mañana a la tarde <br>           { **evening:** mañana a la noche |

**next** week: la **próxima** semana
     month: el **próximo** mes
     year: el **próximo** año

Se usan generalmente **al final de la oración:**

| | |
|---|---|
| He's arriving **soon** | Él llegará **pronto** |
| I'm having a party **this evening** | Tendré una fiesta **esta noche** |
| I'll invite her to dinner **tonight** | La invitaré a cenar **esta noche** |
| I'm going to travel to Brazil **tomorrow** | Viajaré a Brasil **mañana** |
| I'm starting in my new job **next week** | Comenzaré en mi nuevo trabajo **la semana próxima** |

**d.** Los adverbios **very** (muy), **pretty** (muy) y **quite** (bastante) se usan delante de adjetivos para reforzar o enfatizar su significado:

| Sustantivo pronombre | + verbo | + adverbio | + adjetivo | |
|---|---|---|---|---|
| Japanese | is | **very** | difficult. | El japonés es **muy** difícil |
| This movie | is | **pretty** | funny. | Esta película es **muy** divertida |
| This book | is | **quite** | good. | Este libro es **bastante** bueno |

Otros ejemplos:

| | |
|---|---|
| Is the trip **very** long? | ¿Es **muy** largo el viaje? |
| Their new apartment is **pretty** big. | Su nuevo departamento es **muy** grande |
| I'm not **quite** sure | No estoy **bastante** seguro |

# UNIDAD 27

## EN ESTA UNIDAD APRENDEREMOS:

### USEMOS EL IDIOMA
- *El tiempo (weather)*
- *Para saber la temperatura*
- *Las estaciones del año*

### ESTUDIEMOS LA GRAMÁTICA
- *Hablar del tiempo*
- *Expresar una conclusión*
- *Pasado continuo*

### EL MAL TIEMPO
### PROBLEMAS DE SALUD

Lunes a la noche. Llueve mucho. Luis llega a casa del trabajo, sin impermeable y muy mojado.

## 1 DIÁLOGOS

**Bill:** Holy smoke! Where are you coming from? You **must be** soaked to the bones! Where's your raincoat?

Bill: ¡Santo cielo! ¿De dónde vienes? ¡Debes de estar empapado hasta los huesos! ¿Dónde está tu impermeable?

**Luis:** I'm coming from work. **It wasn't raining when I left** this morning. It was **wet** and **windy**, but **the sun was shining.** Is it always like this in **winter?**

Luis: Vengo del trabajo. No estaba lloviendo cuando me fui esta mañana. Estaba húmedo y ventoso, pero el sol estaba brillando. ¿Es siempre así en invierno?

**B:** Yes, the weather in **winter is cold** and **rainy** here. **I was listening** to the weather forecast **while I was making** some coffee, and it's going to **rain** the whole week! And **the temperature** will be around 45°. Very cold!

B: Sí, el tiempo en invierno es frío y lluvioso aquí. Yo **estaba escuchando** el pronóstico del tiempo **mientras estaba preparando** café, y ¡**lloverá** toda la semana! Y la temperatura será de 45° aproximadamente. ¡Muy frío!

**L:** 45°? That's not cold! That's very hot!

L: ¿45°? ¡Eso no es frío! ¡Eso es muy **caluroso**!

**B:** No, remember it's different here. 45° **Farenheit** is around 7° Celsius.

B: No, recuerda que aquí es diferente. 45° Fahrenheit son aproximadamente 7° Celsius.

**L:** Oh, yes, you're right! I always forget!

L: ¡Ah, tienes razón! ¡Siempre me olvido!

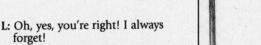

**B:** Well, you have to take an umbrella when you leave for work. In the morning it's **cold** and **sunny**, but in the afternoon it's **cloudy** and **gray**... you never know...

B: Bueno, tienes que llevar un paraguas cuando sales a trabajar. A la mañana hace **frío** y está **soleado**, pero a la tarde, está **nublado** y **gris**... nunca se sabe.

**L:** (sneezing) Oh, no! Now I **have a cold!**

L: (estornudando) ¡Ah, no! ¡Ahora **tengo un resfriado!**

**B:** Yes, you **must** be wet. Go and change your clothes. I'll prepare some hot tea.

B: Sí, **debes de estar** mojado. Ve y cámbiate la ropa. Te prepararé un té caliente.

**L:** Thanks Bill, you're a good friend.

L: Gracias, Bill. Eres un buen amigo.

**a. The weather** - El tiempo

Cuando deseas **saber el estado del tiempo,** preguntas:

**What's the weather like** today? ¿Cómo está el tiempo hoy?

**How's the weather?** ¿Cómo está el tiempo?

**What was it like** yesterday? ¿Cómo estuvo ayer?

Estos **sustantivos** están **relacionados con el tiempo:**

| | |
|------|--------|
| Rain | Lluvia |
| Sun | Sol |
| Wind | Viento |
| Cloud | Nube |
| Snow | Nieve |

Para **contestar preguntas sobre el tiempo**, se usa el verbo **to be** y se agrega -y al final del sustantivo:

| | |
|-------------|---------------|
| It's rainy | Está lluvioso |
| It's sunny | Está soleado |
| It's windy | Está ventoso |
| It's cloudy | Está nublado |

**b.** Para **saber la temperatura** preguntas:

**What's the temperature?** ¿Cuál es la temperatura?

45° (forty-five degrees) 45° (cuarenta y cinco grados)

Recuerda que en los Estados Unidos se usa el **sistema Fahrenheit.** 32° Fahrenheit equivalen a 0° Celsius.

Observa los **adjetivos relacionados con la temperatura:**

| | | |
|------------|---------------|-------------|
| **cold** frío | **hot** caluroso | **cool** fresco |
| **warm** cálido | **wet** húmedo | |

It's **hot** and **sunny** Está **caluroso** y **soleado.**

It was **cold** and **wet** Estuvo **frío** y **húmedo.**

**c. The seasons** - Las estaciones

| | |
|-------------------|--------------------|
| winter: invierno | spring: primavera |
| summer: verano | fall: otoño |

# 3 ESTUDIEMOS LA GRAMÁTICA

**a.** Para **hablar del tiempo,** se usa como sujeto el pronombre **it + el verbo.** En español **it** no se traduce:

| | |
|---|---|
| **It**'s raining | Está lloviendo |
| **It**'s snowing | Está nevando |
| **It** rains | Llueve |
| **It** snows | Nieva |

También puedes usar el pronombre **it** + verbo **to be** + **adjetivo:**

| | |
|---|---|
| **It**'s rainy | Está **lluvioso** |
| It's **a** rainy day | Es un día **lluvioso** |

**b.** Cuando se expresa una **conclusión,** se usan los auxiliares **must** o **can't** seguido de **be:**

| | |
|---|---|
| It **must be** snowing | **Debe de** estar nevando |
| It **must be** windy | **Debe de** estar/ser ventoso |
| It **can't be** raining | **No puede** estar lloviendo |
| It **can't be** rainy | **No puede** estar/ser lluvioso |

**c. Past Continuous -** El Pasado Continuo:
Este tiempo verbal se forma con el verbo **to be** en pasado (**was/were**) + otro **verbo** terminado en **-ing:**

I was    listen   ing    to the weather forecast

To be |+| listen |+| ing

Yo **estaba escuchando** el pronóstico del tiempo

**Puedes usarlo para:**

**1** **Describir lo que estaba ocurriendo en un momento determinado del pasado:**

Generalmente se menciona el momento determinado:

Bill and Luis **were listening** to the weather forecast at **6:00 p.m. yesterday**
Bill y Luis **estaban escuchando** el pronóstico del tiempo **ayer a las 6:00 de la tarde**

O se menciona otra acción que también sucede en el pasado usando:
**when** (cuando)   +   **el pasado simple (simple past):**

past continuous        simple past

It **wasn't** raining  **when I left** this morning
**No estaba** lloviendo cuando **me fui** esta mañana

Bill **was studying while** Luis **was cooking**
Bill **estaba estudiando mientras** Luis **estaba cocinando**

Luis **was sleeping while** Bill **was studying**
Luis **estaba durmiendo mientras** Bill **estaba estudiando**

Veamos como se forman los diferentes tipos de oraciones:

**Afirmaciones**

| | |
|---|---|
| I **was listening** | We **were listening** |
| You **were studying** | You **were studying** |
| He **was cooking** | |
| She **was studying** | They **were studying** |
| It **was raining** | |

**Negaciones:** se forman agregando **not** entre el verbo **to be** y el **otro verbo**. Puedes usar las contracciones **wasn't** y **weren't**.

| | |
|---|---|
| I **was not/wasn't listening** | We **were not/weren't listening** |
| You **were not/weren't studying** | You **were not/weren't studying** |
| He **was not/wasn't cooking** | |
| She **was not /wasn't studying** | They **were not /weren't studying** |
| It **was not/wasn't raining** | |

**Preguntas:** Se forman colocando **primero el verbo** y **después el pronombre:**

| | |
|---|---|
| **Was** I **listening?** | **Were** we **listening?** |
| **Were** you **studying?** | **Were** you **studying?** |
| **Was** he **cooking?** | |
| **Was** she **studying?** | **Were** they **studying?** |
| **Was** it **raining?** | |

# · UNIDAD 28

## EN ESTA UNIDAD APRENDEREMOS:

### USEMOS EL IDIOMA
- Para dar tu opinión
- Si tienes problemas de salud
- Productos OTC
- Partes del cuerpo

### ESTUDIEMOS LA GRAMÁTICA
- "Should"
- Formas especiales de plural en los sustantivos
- "Have got" y "has got"
- Cambios de significado de "cold"

## EN LA FARMACIA

Al día siguiente Luis se siente mal y va a la farmacia. El vendedor le da algunos consejos.

## 1 DIÁLOGOS

**Clerk:** Good morning, sir. How can I help you?

Vendedor: Buen día, señor. ¿En qué puedo ayudarlo?

**Luis:** I **think** I**'ve got** a cold. I've got a **headache** and I'm **coughing.** I've got a terrible **sore throat,** too. **It hurts** a lot!

Luis: Supongo que tengo un resfriado. Tengo dolor de cabeza y estoy tosiendo. Tengo un terrible dolor de garganta, también. ¡Duele mucho!

C: Let me take your pulse… Yes, **you've got a fever.**
L: Do you think I **should** take some aspirin?

V: Déjeme tomarle el pulso… Sí, **tiene fiebre.**
L: ¿Cree que **debería** tomar algunas aspirinas?

C: I think **you'd better** see a doctor. You **must** have a bad cold. You **should** take a **painkiller** and some **cough syrup** until the doctor gives you an **antibiotic.**

V: Creo que **le conviene** ver a un médico. Debe de tener un fuerte resfriado. Debería tomar un analgésico y un **jarabe** para calmar la tos hasta que el médico le dé un **antibiótico.**

L: Can you give me an **antibiotic** now?

L: ¿Puede darme un **antibiótico** ahora?

C: I'm sorry, but **antibiotics** are not **OTC products.**

V: Lo siento, pero los **antibióticos** no son productos de **venta libre.**

L: What does OTC mean?
C: It means that you don't need a prescription.

L: ¿Qué significa venta libre?
V: Significa que no necesita una receta del médico.

L: O.K. I'll take this **painkiller** and the **cough syrup**, too. How much is it?

L: De acuerdo, llevaré este **analgésico** y el jarabe también. ¿Cuánto le debo?

C: $25
L: Here you are. Thank you very much for your advice.

V: US$25.
L: Aquí tiene. Muchísimas gracias por su consejo.

C: You're welcome.

V: No hay de qué.

**a.** Para **dar tu opinión,** puedes decir:

| I **think** (pienso/creo) | I **suppose** (supongo) | I **guess** (me parece) |

| I **think** it's a good idea | **Pienso** que es una buena idea |
| I **suppose** you're right | **Supongo** que tienes razón |
| I **guess** she's angry | Me **parece** que está enojada |

**b.** Cuando tienes un **problema de salud**, puedes decir:

| I **don't feel well** | No me siento bien |
| I've **got a fever** | Tengo fiebre |
| I've **got a headache** | Tengo dolor de cabeza |
| I have a **sore throat** | Tengo dolor de garganta |
| I have a **toothache** | Tengo dolor de muelas |
| I have a **stomachache** | Tengo dolor de estómago |
| It **hurts** | Me duele |

**c.** Los medicamentos que se compran sin receta -de venta libre- se denominan **OTC**, que quiere decir **over the counter** (en el mostrador). Puedes comprar:

| painkillers / pain relievers | calmantes / analgésicos |
| --- | --- |
| syrup | jarabe |
| cold medicines | medicamentos para el resfriado |
| medicines for indigestion | medicamentos para la indigestión |

**d.** Ya has aprendido las partes de la cara. Estudiemos el resto del cuerpo.

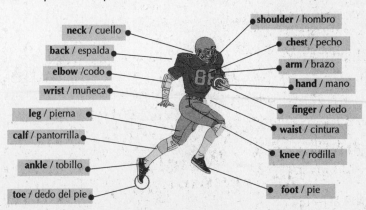

neck / cuello
back / espalda
elbow /codo
wrist / muñeca
leg / pierna
calf / pantorrilla
ankle / tobillo
toe / dedo del pie
shoulder / hombro
chest / pecho
arm / brazo
hand / mano
finger / dedo
waist / cintura
knee / rodilla
foot / pie

**a.** Cuando **sugieres algo** o **das un consejo,** debes usar **should / had better** (**'d better**) antes del verbo:

You **should** take some aspirin — **Deberías** tomar aspirinas
You**'d better** wear a raincoat — **Sería mejor que** usaras un impermeable
You**'d better** go now. — **Sería mejor que** te fueras ahora
She**'d better** stay in bed. — **Sería mejor que** ella se quedara en cama

O sus formas negativas **should not (shouldn't) / had better not ('d better not):**

You **shouldn't** go out in this rain — **No deberías** salir con esta lluvia
She **shouldn't** go to work — Ella **no debería** ir al trabajo
You**'d better not** go out — **Sería mejor que no** salgas
He**'d better not** play tennis — **Sería mejor que él no** juegue al tenis

**b.** Para **pedir consejos,** debes usar **should en forma interrogativa:**

What **should** I do now? — ¿Qué **debería** hacer ahora?
**Should** I stay at home? — ¿**Debería** quedarme en mi casa?
**Should** I take some aspirin? — ¿**Debería** tomar aspirinas?

**c.** Algunos **sustantivos** que se refieren a **partes del cuerpo** toman una forma especial cuando son usados en **plural:**

| Singular | Plural |
|---|---|
| Tooth (diente) | Teeth (dientes) |
| Foot (pie) | Feet  (pies) |
| Calf (pantorrilla) | Calves (pantorrillas) |

**d.** En la *Unidad 2, Lección 2B* estudiamos **have / has**, que significa "tener". También puedes usar **have got / has got,** con el mismo significado. Las contracciones son **'ve got / 's got**. Veamos ejemplos:

I **'ve got** { a head**ache** / a stomach**ache** / a back**ache** / a tooth**ache** }   **Tengo dolor** { de cabeza / de estómago / de espalda / de muelas }

**She 's got** { a **sore** throat / **sore** muscles }   Ella tiene { **dolor** de garganta / **dolor** muscular }

**e.** La palabra **cold** cambia de significado según se la use con el verbo **to have / have got** o **to be:**

**I've got** a cold       Tengo un resfriado

**I'm** cold             Tengo frío

# UNIDAD 29

## EN ESTA UNIDAD APRENDEREMOS:

### USEMOS EL IDIOMA
- Conversaciones usadas con los meseros
- Términos de la carne
- Utensilios usados al comer

### ESTUDIEMOS LA GRAMÁTICA
- Plurales de sustantivos
- Presente perfecto
- Participios de los verbos regulares
- Participios de los verbos irregulares

## COMIENDO FUERA

Luis y Nicole están cenando en un restaurante cerca del Pier 39.

## 1 DIÁLOGOS

**Luis:** So, you're Annie's best friend.
**Nicole:** Yes, **we've been** friends **for** 6 years.

**Luis:** Así que eres la mejor amiga de Annie.
**Nicole:** Sí, **hemos sido** amigas **durante** seis años.

**L:** Are you from Seattle too?

**L:** ¿Eres de Seattle también?

**N:** Yes, but I've lived here since 1996.

N: Sí, pero he vivido aquí desde 1996.

**Waiter:** Good evening, I'm Jim. **How can I help you?**

Mesero: Buenas noches, soy Jim. ¿En qué puedo ayudarlos?

**L:** Good evening. **Could I see the menu, please?**
**W:** Sure. Here you are.

L: Buenas noches. ¿Podría ver el menú, por favor?
M: Seguro. Aquí tienen.

**L:** Let's see… Nicole, what would you like to eat as a starter?
**N:** Oh… **I'd like** the **fried shrimp**. They are delicious.
**L:** I'll try… the **mixed greens salad**.

L: Veamos… Nicole, ¿qué quisieras comer como entrada?
N: **Quisiera** los **camarones fritos**. Son deliciosos.
L: Yo probaré la ensalada mixta de verduras.

W: (repeating) **Fried shrimp…
mixed greens salad**… that's fine.
And then?
N: I think **I'll have** the **spaghetti**
with **cream** and **mushrooms**.

M: (repitiendo) Camarones fritos… ensalada de
verduras… bien. ¿ Y luego?
N: Creo que comeré los espagueti con crema y
hongos.

L: And **I'll have** the **steak** and
**onions**, and **baked potato**.
W: **How do you want the steak?**
L: **Medium**, please.

L: Y yo comeré el bistec con cebollas y una
papa al horno.
M: ¿Cómo prefiere el bistec?
L: Medianamente cocido, por favor.

W: Very well. **What would you like
to drink?**
L: What about **beer?**

M: Muy bien. ¿Qué les gustaría para beber?
L: ¿Qué tal cerveza?

N: That's fine with me.
W: Thank you very much. I'll bring
it right away.

N: Por mí está bien.
M: Muchísimas gracias. Se la traeré de inmediato.

# 2 USEMOS EL IDIOMA

**a.** En un restaurante, **el mesero puede usar algunas de estas frases:**

| | |
|---|---|
| How can I help you? | ¿En qué puedo ayudarlo? |
| Are you ready to order? | ¿Están listos para pedir? |
| Can I take your order? | ¿Puedo tomar su pedido? |
| What can I get you? | ¿Qué puedo traerle? |
| What would you like to drink? | ¿Qué quisiera para beber? |
| Anything to drink? | ¿Algo para beber? |

**b.** Para responder, puedes decir:

**I'll have** ⎰ the fried shrimp, please    **Pediré** ⎰ los camarones fritos, por favor
          ⎱ the onion rings                   ⎱ los anillos de cebolla

**I'd like** ⎰ the vegetarian lasagna    **Quisiera** ⎰ la lasagna vegetariana
        ⎱ the steak with potatoes               ⎱ carne asada con papas

**I'll try** ⎰ the mixed greens salad    **Probaré** ⎰ la ensalada mixta de verduras
        ⎱ the melon with ham                  ⎱ el melón con jamón

**c.** Las formas de pedir la cocción de una porción de carne son las siguientes:

| | |
|---|---|
| **rare, medium - rare** | jugosa/poco asada |
| **medium, medium - well** | medianamente cocida |
| **well done** | bien cocida |

d. Veamos los utensilios que se usan para comer:

glass copa

bowl tazón

napkin servilleta

dish plato

knife cuchillo

fork tenedor

spoon cuchara

**a.** Veamos como formar los plurales de los sustantivos:

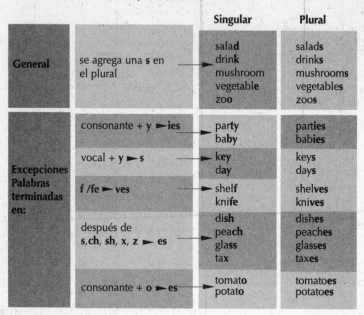

| | | Singular | Plural |
|---|---|---|---|
| **General** | se agrega una **s** en el plural | sala**d**<br>drin**k**<br>mushroom<br>vegetabl**e**<br>zoo | salad**s**<br>drink**s**<br>mushroom**s**<br>vegetable**s**<br>zoo**s** |
| **Excepciones Palabras terminadas en:** | consonante + y ► ies | part**y**<br>bab**y** | part**ies**<br>bab**ies** |
| | vocal + y ► s | ke**y**<br>da**y** | key**s**<br>day**s** |
| | f /fe ► ves | shel**f**<br>kni**fe** | shel**ves**<br>kni**ves** |
| | después de s,ch, sh, x, z ► es | dis**h**<br>pea**ch**<br>glas**s**<br>ta**x** | dish**es**<br>peach**es**<br>glass**es**<br>tax**es** |
| | consonante + o ► es | tomat**o**<br>potat**o** | tomato**es**<br>potato**es** |

Casos en los que el sustantivo cambia:

| | |
|---|---|
| **child** niño | **children** niños |
| **man** hombre | **men** hombres |
| **woman** mujer | **women** mujeres |
| **tooth** diente | **teeth** dientes |
| **foot** pie | **feet** pies |
| **person** persona | **people** personas/gente |

**b. Present Perfect - Presente Perfecto:**
Cuando hablamos de un hecho que comenzó en el pasado pero continúa en el presente usamos este tiempo verbal:

I **have lived** here since 1993    **He vivido** aquí desde 1993

(comienza la acción)   Pasado 1993         Presente Ahora   (la acción continúa)

Se forma con el auxiliar **have / has + el pasado participio** del verbo:

Auxiliar have/has    Participio del verbo live

She **has lived** in New York for five years.

Ella ha vivido en Nueva York por 5 años (*todavía sige en Nueva York*)

I **have worked** in tourism since 2001.

He trabajado en turismo desde el 2001.(*todavía sigo trabajando*)

She **has written** to him for years.

Ella le ha escrito a él durante años.(*todavía sigue escribiéndole*)

Las preposiciones **since** y **for** acompañan frecuentemente a este tiempo verbal:

**For** indica la duración de la acción:

They have worked at the hotel **for** 4 months   /   2 years  /   a long time

Han trabajado en el hotel **durante** 4 meses   /   2 años   /   un largo tiempo

**Since** indica el momento en que comenzó la acción:

We have rented this apartment **since** 1998  /    September  /   last year

Hemos alquilado este departamento **desde** 1998  /  Septiembre  /  el año pasado

**d.** Agregaremos al cuadro que estudiamos en la *U6, Lesson 6B* los participios de los verbos. Observarás que en el caso de los verbos regulares, el participio se escribe igual que el pasado:

| Presente | Pasado | Participio |
|---|---|---|
| answer | answered | answered(respondido) |
| ask | asked | asked (preguntado) |
| cook | cooked | cooked (cocinado) |
| enjoy | enjoyed | enjoyed (disfrutado) |
| help | helped | helped (ayudado) |
| invite | invited | invited (invitado) |
| like | liked | liked (gustado) |
| live | lived | lived (vivido) |
| look | looked | looked (mirado) |
| love | loved | loved (amado) |
| open | opened | opened (abierto) |
| prefer | preferred | preferred (preferido) |
| play | played | played (jugado) |
| rent | rented | rented (alquilado) |
| recommend | recommended | recommended (recomendado) |
| start | started | started (comenzado) |
| study | studied | studied (estudiado) |
| suggest | suggested | suggested (sugerido) |
| travel | traveled | traveled (viajado) |
| want | wanted | wanted (querido) |
| watch | watched | watched (mirado) |
| work | worked | worked (trabajado) |

Ahora observa el participio de algunos verbos irregulares:

| Presente | Pasado | Participio |
|----------|--------|------------|
| am-is-are | was-were | been (sido-estado) |
| come | came | come (venido) |
| do | did | done (hecho) |
| drink | drank | drunk (bebido) |
| eat | ate | eaten (comido) |
| feel | felt | felt (sentido) |
| go | went | gone (ido) |
| have | had | had (tenido) |
| know | knew | known (conocido) |
| meet | met | met (conocido) |
| put | put | put (puesto) |
| see | saw | seen (visto) |
| send | sent | sent (enviado) |
| sleep | slept | slept (dormido) |
| speak | spoke | spoken (hablado) |
| spend | spent | spent (gastado) |
| take | took | taken (tomado) |
| teach | taught | taught (enseñado) |
| tell | told | told (contado) |
| write | wrote | written (escrito) |

# UNIDAD 30

## EN ESTA UNIDAD APRENDEREMOS:

### USEMOS EL IDIOMA
- *Una carta o menu de restaurante*
- *Pedir la cuenta*

### ESTUDIEMOS LA GRAMÁTICA
- *Presente Perfecto*
- *Presente Perfecto vs. Pasado Simple*

## CENA ROMÁNTICA

Luis y Nicole están cenando y conociéndose.

## 1 DIÁLOGOS

**Nicole:** Tell me, how **did you meet** Bill?
**Luis:** That **was** when he **traveled** to Mexico in 1998.

Nicole: Dime ¿cómo **conociste** a Bill?
Luis: Eso **fue** cuando él **viajó** a México en 1998.

**N:** Oh, so you**'ve been** friends for a long time too.
**L:** Yes, and we**'ve been** roomates for seven months.

N: Ah, entonces **han sido** amigos durante un largo tiempo también.
L: Sí, y **hemos sido** compañeros de cuarto durante siete meses.

**N:** And do you like living in the States?

N: ¿Y te gusta vivir en los Estados Unidos?

**L:** Well, I**'ve had** some hard times **since** I arrived here. But now I have a job, and things are getting better. By the way, **have** you **ever been to** Mexico?

L: **He pasado** algunos momentos difíciles **desde** que llegué aquí. Pero ahora tengo un trabajo y las cosas están mejorando. A propósito, ¿**has estado alguna vez** en México?

**N:** No, **I haven't.** I'm traveling there.

N: **No, no he estado**. Viajaré allá.

**L:** Well, that's great. I can show you some pictures of beautiful places to visit!

L: ¡Bueno, eso es fantástico! Puedo mostrarte algunas fotografías de lugares hermosos que puedes visitar.

**N:** That would be great!

N: ¡Me encantaría!

**L:** Would you like to go for a walk? It's a wonderful evening!

L: ¿Te gustaría ir a caminar? ¡Es una noche hermosa!

**N:** Yes, I'd love to. Let's go.

N: Si, me encantaría. ¡Vamos!

**L:** (to the waiter) **Could I have the check**, please?

L: (al mozo) ¿Podría traerme la cuenta, por favor?

**a.** Una típica carta de menú consta de tres partes:

### Starters
### (Entradas)

Onion rings (anillos de cebolla)

Fried shrimp (camarones fritos)

Soup of the day (sopa del día)

### Main Course
### (Plato principal)

Seafood pasta (pasta c/frutos mar)

Steak (filete/bistec)

Fried chicken (pollo frito)

Barbecue ribs (costillitas)

### Side Dishes
### (Guarniciones)

Vegetables (verduras)

Sweet corn (maíz dulce)

Baked potato (papa asada)

French fries (papas fritas)

### Desserts
### (Postres)

Pecan pie (tarta de nueces)

Strawberry cheesecake

(torta de queso c/fresas)

Ice cream (helado)

**b.** Al terminar de comer puedes pedir la cuenta de esta forma:

| | |
|---|---|
| Could I have the check, please? | ¿Podría traerme la cuenta, por favor? |
| The check, please | La cuenta, por favor |

**a.** Para formar oraciones negativas con el presente perfecto, se agrega **not** después de **have/has**:

I **have not (haven't) seen** my sister for five months

No **he visto** a mi hermana durante cinco meses

She **has not (hasn't) written** a letter since he left

Ella **no ha escrito** una carta desde que él se fue

We **have not (haven't) worked** in the garden for the summer

Nosotros **no hemos trabajado** en el jardín durante el verano

**b.** Para formar las **preguntas**, **have** o **has** se colocan al **principio de la oración**:

**They have lived** here for a long time

**Have they lived** here for a long time?
**How long have they lived** here?

**Have** you **studied** English for a long time?
**Has** he **worked** for the High Hills Hotel since last year?

En las preguntas, se puede usar el adverbio **ever**, que significa **alguna vez**:

**Have** you **ever been** to Mexico?
**Has** she **ever tried** Japanese food?

¿**Has estado alguna vez** en México?
¿**Ha ella probado** alguna vez la comida japonesa?

**c.** Para contestar con **respuestas cortas** a preguntas por sí o por no, **se usa sólo** el auxiliar **have** o **has**:

Have you ever been to Mexico?
Have they studied English for a long time?
Have they lived here for a long time?

Yes I **have** / No, I **haven't**
Yes, they **have** / No, they **haven't**
Yes, she **has** / No, she **hasn't**

**d.** Comparemos el **Present Perfect** con el **Simple Past:**

El **presente perfecto** siempre se refiere a algo que **comenzó en el pasado y continúa en el presente**; el **pasado simple**, en cambio, se usa para acciones que han **comenzado y terminado en el pasado.**
Por ejemplo:

verbo en simple past

Annie **worked** in Seattle for 2 years
Annie trabajó en Seattle durante 2 años
(Annie ya no trabaja más en Seattle)

En cambio:

verbo en present perfect

Annie **has worked** in Seattle for two years
Annie ha trabajado en Seattle durante 2 años
(Annie todavía trabaja en Seattle)

**Bill has studied Marketing since he moved to San Francisco**
Bill ha estudiado Marketing desde que se mudó a San Francisco

**He studied Marketing in Los Angeles before he moved to San Francisco**
El estudió Marketing en Los Ángeles antes de mudarse a San Francisco

# APUNTES

# DICCIONARIO ESENCIAL

**¿Por qué un Diccionario de 1,000 Palabras y Frases Esenciales?**

En las treinta unidades de este libro completaste los seis niveles de nuestro curso. Al completar los seis niveles, sin darte casi cuenta has aprendido las 1,000 Palabras y Frases Esenciales del Inglés Americano.

En las siguientes páginas te ofrecemos el Diccionario que reúne esas 1,000 Palabras y Frases que has aprendido en el curso. El motivo de este Diccionario es que puedas tener en pocas páginas todas las palabras y frases aprendidas en el curso Inglés en 100 Dias.

**La consolidación de las Palabras y Frases aprendidas en este curso de inglés**

También te servirá como "termómetro" de tu nivel de asimilación de las palabras y frases que te enseñamos. Fíjate bien en todas las palabras y frases para ver si las reconoces e interpretas correctamente. Si es así, perfecto. Si no, mira de fijarte con atención cuál es el significado y busca en las treinta unidades ejemplos de cómo y cuándo se usan.

**Estructura de este Diccionario Esencial**

Este Diccionario Esencial está estructurado en dos grandes grupos. El primero te reunirá las palabras y frases más usadas en distintas situaciones y momentos. Te será fácil ubicarlas en las treinta unidades del curso porque suelen coincidir con dichas unidades.

El segundo grupo te mostrará los verbos, sustantivos, adjetivos, etc. que más se usan en el inglés americano. No corresponden a determinadas unidades del curso, sino que las has ido aprendiendo poco a poco a lo largo del mismo y aparecen en diversas unidades.

# INDICE

**AIRPORT:** (é:rpo:rt) AEROPUERTO

**Address:** (ǽdres) dirección

**Arrival:** (eráivel) llegada

**Arrive:** (eráiv) llegar

**Bag:** (bæg) bolso

**City:** (síri) ciudad

**Control:** (kentróul) control

**Country:** (kántri) país

**Customs:** (kástems) aduana

**Destination:** (destinéishen) destino

**Declare:** (diklé:r) declarar

**Fill in a form:** (fil in e fo:rm) completar
una forma

**Flight:** (fláit) vuelo

**Immigration form:** (imigréishen fo:rm)
forma de inmigraciones

**Immigration officer:** (immigréishen
á:fise:r) empleado de la aduana

**Passport:** (pǽspo:rt) pasaporte

**Plane:** (pléin) avión

**Requirement:** (rikuáirment) requisito

**State:** (stéit) estado

**Stay:** (stéi) estadía

**Suitcase:** (sú:tkeis) maleta

**Travel:** (trǽvel) viajar

**Trip:** (trip) viaje

**Welcome:** (wélcam) bienvenido

**Greetings:** (gri:tings) Saludos

**Good afternoon:** (gud áefte:rnu:n) buenas tardes
**Goodbye:** (gud bái) adiós
**Good evening:** (gud í:vning) buenas tardes
**Good morning:** (gud mó:rning) buenos días
**Good night:** (gud náit) buenas noches
**Hello:** (jelóu) hola
**Hello there:** (jelóu de:r) hola
**Hi!** (jái) ¡hola!
**How are things?** (jáu a:r zings) ¿cómo van las cosas?
**How are you?** (jáu a:r yu:) ¿cómo está Ud? ¿cómo estas tú?
**How are you doing?** (jáu a:r yu: dú:ing) ¿cómo está Ud? ¿cómo estas tú?
**How do you do?** (jáu du: yu: du:) ¿cómo está Ud? ¿cómo estas tú?
**How is it going?** (jáu iz it góuing) ¿cómo va todo?
**I'm fine:** (áim fáin) estoy bien
**I'm OK, and you?** (áim ou kéi, end yu: ?) estoy bien, y tú/Ud?
**I'm very well:** (áim véri wel) estoy muy bien
**This is:** (dis iz) Este/a es … (presentaciones)
**Nice to meet you:** (náis te mi:t yu:) encantado de conocerte/lo/la
**Nice to meet you too:** (náis te mi:t yu: tu:) encantado de conocerte/lo/la también
**Pleased to meet you:** (pli:zd te mi:t yu:) encantado de conocerte/lo/la
**See you later:** (si: yu: léire:r) te veo más tarde
**Bye:** (bái) adiós

COUNTRIES AND NATIONALITIES: (kántriz ænd næshenǽli-ti:z) PAÍSES Y NACIONALIDADES

**American:** (emériken) norteamericano/a
**Brazil:** (brezíl) Brasil
**Brazilian:** (brezílyen) brasileño/a
**Canada:** (kenede) Canadá
**Canadian:** (kenéidyen) canadiense
**Colombia:** (kela:mbie) Colombia
**Colombian** (kela:mbien) colombiano/a
**China:** (cháine) China
**Chinese:** (chaini:z) chino/a
**England:** (ínglend) Inglaterra
**English:** (ínglish) inglés/a
**Germany:** (shé:rmeni) Alemania
**German:** (shé:rmen) alemán/a
**Italy:** (íteli) Italia
**Italian:** (itælyen) italiano/a
**Japan:** (shepæn) Japón
**Japanese:** (shæpeni:z) japonés/a
**Mexico:** (méksikou) México
**Mexican:** (méksiken) mexicano/a
**Puerto Rico:** (pue:rou rí:kou) Puerto Rico
**Puerto Rican:** (pue:ro rí:ken) puertorriqueño/a
**Spain:** (spéin) España
**Spanish:** (spǽnish) español/a
**United States of America:** (yu:náirid stéits ev emérike) Estados Unidos de América
**Venezuela:** (venezuéile) Venezuela
**Venezuelan:** (venezuéilen) venezolano/a

THE FAMILY: (de fǽmili) LA FAMILIA

**Aunt:** (a:nt) tía

**Brother:** (bráde:r) hermano

**Cousin:** (kázen) primo/a

**Daughter:** (dó:re:r) hija

**Father:** (fá:de:r) padre

**Grandfather:** (grændfá:de:r) abuelo

**Grandmother:** (grændmáde:r) abuela

**Grandparents:** (grændpérents) abuelos

**Husband:** (jázbend) esposo

**Mother:** (máde:r) madre

**Nephew:** (néfyu:) sobrino

**Niece:** (ni:s) sobrina

**Parents:** (pǽrents) padres (padre y madre)

**Sister:** (síste:r) hermana

**Son:** (sa:n) hijo

**Uncle:** (ánkel) tío

**Wife:** (wáif) esposa

**SPORTS AND FREE TIME:** (spo.rts en**d** frí: táim) **DEPORTES Y TIEMPO LIBRE**

**Basketball:** (bǽsketbo:l) basquetbol
**Bicycle:** (báisikel) bicicleta
**Exercise:** (ékse:rsaiz) hacer ejercicio
**Football:** (fú:tbo:l) fútbol americano
**Go cycling:** (góu sáikling) andar en bicicleta
**Go jogging:** (góu **s**ha:ging) ir a correr
**Go to the movies:** (góu te de mú:vi:z) ir al cine
**Go walking:** (góu wo:king) ir a caminar
**Gym:** (**s**him) gimnasio
**Marathon:** (mǽreza:n) maratón
**Play:** (pléi) jugar
**Relax:** (rilǽks) descansar
**Ride:** (ráid) andar en bicicleta o a caballo
**Surf the internet:** (se:rf de íne:rnet) navegar por internet
**Swim:** (swim) nadar
**Swimming:** (swíming) natación
**Swimming pool:** (swíming pu:l) piscina
**Tennis:** (ténis) tenis
**Walk:** (wo:k) caminar
**Yoga:** (yóuge) yoga

**Jobs:** (sha:bs) Trabajos

**Accountant:** (ekáuntent) contador/a
**Adertising company:** (edve:rtáizing ká:mpeni) empresa de publicidad
**Advertising agency:** (edve:rtáizing éishensi) agencia de publicidad
**Agency:** (éishensi) agencia
**Architect:** (á:rkitekt) arquitecto/a
**Artist:** (á:rtist) artista
**Bell captain:** (bel kǽpten) jefe de porteros en un hotel
**Car dealer:** (ka:r dí:le:r) vendedor de autos
**Chef:** (shef) chef
**Clerk:** (kle:rk) empleado
**Company:** (kámpeni) empresa
**Cook:** (kuk) cocinero/a
**Doctor:** (dá:kte:r) doctor/a
**Door person:** (do:r pé:rson) encargado de un edificio u hotel
**Front desk clerk:** (fra:nt desk kle:rk) recepcionista
**Gardener:** (gá:rdene:r) jardinero/a
**Graphic designer:** (grǽfik dizáine:r) diseñador/a gráfico/a
**Job:** (sha:b) trabajo
**Lawyer:** (lo:ye:r) abogado/a
**Nurse:** (ne:rs)enfermero/a
**Offer:** (á:fe:r) oferta
**Office:** (á:fis) oficina
**Player:** (pléier) jugador/a
**Receptionist:** (risépshenist) recepcionista
**Salesclerk / Salesperson:** (séilskle:rk – séilspe:rson)
vendedor/a en una tienda
**Secretary:** (sékreteri) secretaria
**Security guard:** (sekyú:riti ga:rd) guardia de seguridad
**Taxi driver:** (tǽksi dráive:r) conductor/a de taxi
**Teacher:** (tí:che:r) maestro/a
**Technician:** (tekníshen) técnico/a
**Tourist guide:** (tu:rist gáid) guía de turismo
**Travel agency:** (trǽvel éishensi) agencia de viajes
**Waiter:** (wéirer) mesero
**Waitress:** (wéitres) mesera

**PHONE CONVERSATIONS:** (fóun ka:nve:rséishens) CONVERSACIONES TELEFÓNICAS

**As in:** (æs in) como en (para dar referencia cuando se deletrea)
**Call:** (ko:l) llamar
**Dial:** (dáiel) discar
**Directory:** (dairékteri) guía telefónica
**Directory Assistance:** (dairékteri esístens) información
**Extension:** (iksténshen) número interno
**Hold on, please:** (jóuld a:n pli:z) no corte, por favor
**I'd like to speak to… :** (áid láik te spi:k te…) Quisiera hablar con...
**I'll put you through:** (áil put yu: zru:) lo comunicaré
**I'll transfer your call:** (áil trænsfe:r yo:r ko:l) transferiré su llamada
**I'm calling about… :** (áim kó:ling ebáut) llamo por…
**Just a minute:** (shást e mínit) espere un minuto
**Just a moment:** (shást e móument) espere un momento
**Leave a message:** (li:v e mésish) dejar un mensaje
**Let me see… :** (let mi: si:) déjeme ver...
**Phone:** (fóun) teléfono/ llamar por teléfono
**Phone number:** (fóun námbe:r) número de teléfono
**Ring:** (ring) sonar
**Speak:** (spi:k) hablar
**Speaking:** (spi:king) Habla él/ella
**Take a message:** (téik e mésish) tomar un mensaje
**Talk:** (to:k) hablar
**This is…:** (dis iz…) soy/ habla…
**Who's calling?** (ju:z ko:ling) ¿quién llama?

**PARTS OF THE DAY:** (pa:rts ev de **déi**) PARTES DEL DÍA

**Morning:** (mo:rning) mañana
**Afternoon:** (æfte:rnu:n) tarde
**Evening:** (í:vning) noche
**Night:** (náit) noche

**DAYS OF THE WEEK: (dé**iz ev de wi:k)

DÍAS DE LA SEMANA

**Monday:** (mándei) lunes

**Tuesday:** (tyu:zdei) martes

**Wednesday:** (wénzdei) miércoles

**Thursday:** (zé:rzdei) jueves

**Friday:** (fráidei) viernes

**Saturday:** (sære:rdei) sábado

**Sunday:** (sándei) domingo

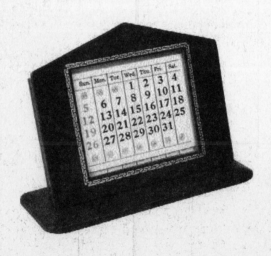

**MONTHS OF THE YEAR:** (máns ev de yir)
**MESES DEL AÑO**

**January:** (shænyu:eri) enero

**February:** (fébryu:eri) febrero

**March:** (ma:rch) marzo

**April:** (éipril) abril

**May:** (méi) mayo

**June:** ( shu:n) junio

**July:** (shelái) julio

**August:** (o:gest) agosto

**September:** (septémbe:r) septiembre

**October:** (a:któube:r) octubre

**November:** (nouvémber) noviembre

**December:** (disémbe:r) diciembre

THE TIME: (de táim) LA HORA

**A.M.:** (ei em) antes de las 12 del mediodia

**A quarter after... :** ( e kuó:re:r æfte:r) ...y cuarto

**A quarter to... :** ( e kuó:re:r tu:) ...menos cuarto

**Half past... :** (ja:f pæst) ...y media

**It's... :** (its) es la/son las...

**O'clock:** (e kla:k) en punto

**P.M.:** (pi: em) después de las 12 del mediodía

**What time is it?** (wa:t táim iz it) ¿qué hora es?

**MEANS OF TRANSPORT:** (mi:ns ev trǽnspo:rt) **MEDIOS DE TRANSPORTE**

**Bicycle:** (báisikel) bicicleta
**Bus:** (bas) autobús
**Cab:** (kæb) taxi
**Car:** (ka:r) automóvil
**Plane:** (pléin) avión
**Taxi:** (tǽksi) taxi
**Train:** (tréin) tren

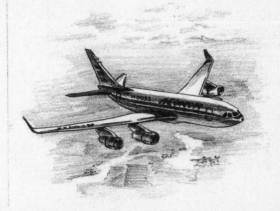

**STORES:** (sto:rs) **TIENDAS**

**Bakery:** (béikeri) panadería
**Drugstore:** (drágsto:r) farmacia
**Dry cleaner's:** (drái klí:ne:rs) tintorería
**Market:** (má:rkit) mercado

**JOB INTERVIEW:** (sha:b ínne:rviu:) **ENTREVISTA LABORAL**

**Apply for a job:** (eplái fo:r e sha:b) solicitar un trabajo
**Duty:** (dyú:ti) tarea
**Experience:** (ikspíriens) experiencia
**Last name:** (læst néim) apellido
**Name:** (néim) nombre
**Part time job:** (pa:rt táim sha:b) trabajo de medio tiempo
**Résumé:** (résyu:mei) currículum vitae
**Skill:** (skil) habilidad
**Work:** (we:rk) trabajar / trabajo

## Palabras usadas al dirigirse a una persona

**MEANS OF ADDRESS:** (mínz ev ædres)
**FORMAS DE DIRIGIRSE A UNA PERSONA:**

**Madam:** (mædem) señora
**Ma'am:** (ma:m) abreviatura de madam
**Miss:** (mis) señorita
**Ms.:** (mez) Sra. / Srta.
**Mr.:** (miste:r) Sr.
**Mrs.:** (misiz) Sra.
**Sir:** (se:r) señor

THE SUPERMARKET: (de syu:pe:rmá:rket)
EL SUPERMERCADO

**Apple:** (ǽpel) manzana
**Avocado:** (æveká:dou) ahuacate / palta
**Bag:** (bæg) bolsa
**Banana:** (benǽne) plátano
**Beef:** (bi:f) carne vacuna
**Bottle:** (ba:rl) botella
**Box:** (ba:ks) caja
**Bread:** (bred) pan
**Bunch:** (bánch) racimo
**Butter:** (báre:r) manteca
**Can:** (kæn) lata
**Carrot:** (kæret) zanahoria
**Carton:** (a ka:rten) cartón
**Cereal:** (síriel) cereal
**Cheese:** (chi:z) queso
**Chicken:** (chíken) pollo
**Corn:** (ko:rn) maíz
**Counter:** (káunte:r) mostrador
**Cream:** (kri:m) crema
**Cucumber:** (kyú:kambe:r) pepino

**Cup:** (káp) taza

**Dozen:** (dázen) docena

**Egg:** (eg) huevo

**Fish:** (fish) pescado

**Flour:** (flaue:r) harina

**Food:** (fu:d) alimentos

**Fruit:** (fru:t) fruta

**Grape:** (gréip) uva

**Ham:** (jæm) jamón

**Head:** (jed) planta (de una verdura)

**Jam:** (shæm) mermelada

**Jar:** (sha:r) frasco

**Lamb:** (læmb) cordero

**Lemon:** (lémen) limón

**Lettuce:** (léres) lechuga

**Loaf:** (lóuf ) pieza

**Mango:** (mængou) mango

**Meat:** (mi:t) carne

**Melon:** (mélen) melón

**Mushroom:** (máshru:m) hongo

**Onion:** (a:nyon) cebolla

**Orange:** (o:rinsh) naranja

**Package:** (pækish) paquete

**Pea:** (pi:) arveja

**Pear:** (pér) pera

**Pepper:** (pépe:r) pimienta
**Pepper:** (péper) pimiento / chile
**Piece:** (e pi:s ov) porción
**Pineapple:** (páinæpl) piña
**Pork:** (po:rk) cerdo
**Potato:** (potéirou) papa
**Rice:** (ráis) arroz
**Salt:** (so:lt) sal
**Shampoo:** (shæmpú:) shampoo
**Shaving lotion:** (shéiving lóushen) loción de afeitar
**Shelf:** (shélf) estante
**Shopping list:** (sha:ping list) lista de compras
**Soap:** (sóup) jabón
**Strawberries:** (stró:be:ri) fresas
**Sugar:** (shu:ge:r) azúcar
**Toiletries:** (tóiletri:z) artículos de tocador
**Tomato:** (teméirou) tomate
**Toothpaste:** (tu:z péist) pasta dental
**Tube:** (tyu:b) tubo
**Vegetables:** (véshetebels) verduras
**Yogurt:** (yo:ge:rt) yogur

**The hotel:** (de joutél) EL HOTEL

**Baggage:** (bægish) equipaje

**Bar:** (ba:r) bar

**Check in:** (chek in) registrarse en un hotel

**Check out:** (chék áut) retirarse de un hotel

**Coffeeshop:** (ká:fi sha:p) cafetería

**Conference room:** (ká:nfe:rens ru:m) salón de conferencias

**Corridor:** (kó:ride:r) pasillo

**Elevator:** (éleveire:r) ascensores

**Escalator:** (éskeleire:r) escalera mecánica

**Giftshop:** (gift sha:p) tienda de regalos

**Guest:** (gést) huésped

**Hall:** (jo:l) salón

**Hotel administration:** (joutél edministréishen) administración del hotel

**Lobby:** (la:bi) lobby

**Registration card:** (reshistréishen ka:rd) tarjeta para registrarse en el hotel

**Reservation:** (reze:rvéishen) reserva

**Single room:** (síngel ru:m) habitación simple

WORK TOOLS: (we:rk tu:lz) HERRAMIENTAS DE TRABAJO

**Clip:** (klip) clip
**Computer:** (ka:mpyú:re:r) computadora
**Copy paper:** (ka:pi péipe:r) papel para copias
**Desk:** (desk) escritorio
**Envelope:** (énveloup) sobre
**Eraser:** (iréize:r) goma de borrar
**Fax machine:** (fæks meshí:n) fax
**Paper:** (péiper) papel
**Pen:** (pen) bolígrafo
**Pencil:** (pénsil) lápiz
**Photocopier:** (fóutouka:pie:r) fotocopiadora
**Printer:** (príne:r) impresora
**Scale:** (skéil) balanza
**Scanner:** (skæne:r) escáner
**Stapler:** (stéipler) engrapadora
**Stationery:** (stéishene:ri) artículos de oficina

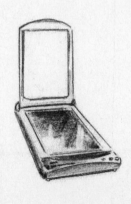

**HOLIDAYS AND SPECIAL DAYS:** (há:lideiz end spéshel déiz) FERIADOS Y DÍAS ESPECIALES

**Christmas:** (krísmes) Navidad
**Halloween:** (jǽlewi:n) Noche de brujas
**Independence Day:** (indepéndens déi) Día de la Independencia
**New Year:** (nu: yir) Año Nuevo
**Valentine's Day:** (vǽlentainz déi) Día de los enamorados

**MONEY:** (máni) EL DINERO

**Bill:** (bil) billete
**Coin:** (kóin) moneda
**Dime:** (dáim) diez centavos de dólar
**Dollar:** (dá:le:r) dólar
**Nickel:** (níkel) cinco centavos de dólar
**Penny:** (péni) un centavo de dólar
**Quarter:** (kuó:rer) veinticinco centavos de dólar
**Spend:** (spénd) gastar dinero
**Waste:** (wéist) malgastar dinero

THE CAR: (de ka:r) EL AUTOMÓVIL

**Accelerator:** (akséle:reire:r) acelerador
**Battery:** (bǽte:ri) batería
**Hood:** (jud) capot
**Brake:** (bréik) freno
**Clutch:** (klách) embrague
**Engine:** (énshin) motor
**Fender:** (fénde:r) paragolpes
**Gear box:** (gie:r ba:ks) caja de cambios
**Headlight:** (jédlait) luz
**Make:** (méik) marca
**Mirror:** (míre:r) espejo
**Model:** (ma:del) modelo
**Parking brake:** (pá:rking bréik) freno de manos
**Radiator:** (réidieire:r) radiador
**Steering wheel:** (stiring wi:l) volante
**Tire:** (táie:r) goma
**Trunk:** (tránk) maletero
**Wheel:** (wi:l ) rueda
**Windshield:** (wíndíld) parabrisas

**Traffic:** (tréfik ) **El tránsito**

**Bus stop:** (bas sta:p) parada de autobús
**Crosswalk:** (krá:swo:k) cruce peatonal
**Driver's license:** (dráive:rz láisens) licencia de conductor
**Driver test:** (dráiver test) examen para conducir
**Eye exam:** (ái eksæm) examen de la vista
**Freeway:** (frí:wei) autopista
**Gas station:** (gæs stéishen) gasolinera
**Gasoline:** (gǽselin) gasolina
**Handbook:** (hǽndbuk) manual
**Highway:** (jáiwei) autopista
**Intersection:** (íne:rsekshen) cruce de calles
**Lane:** (léin) carril de una autopista
**Left:** (left) izquierda
**Limit:** (límit) límite
**Parking lot:** (pá:rking lot) parqueo
**Pedestrian:** (pedéstrien) peatón
**Right:** (ráit) derecha
**Speed:** (spi:d) velocidad
**Toll:** (tóul) peaje
**Traffic light:** (tréfik láit) semáforo
**Traffic sign:** (tréfik sáin) señal de tránsito
**Turn:** (te:rn) doblar/giro
**Turnpike:** (té:rnpaik) autopista con peaje
**Two way:** (tu: wéi) doble sentido
**U-turn:** (yu: te:rn) girar en U
**Yield:** (yi:ld) ceder el paso

CLOTHES: (klóudz) LA ROPA

**A pair of... :** (e pe:r ev) un par de…
**Bag:** (bæg) bolsa
**Blouse:** (bláus) blusa
**Boots:** (bu:ts) botas
**Coat:** (kóut) abrigo
**Dress:** (dres) vestido
**Dressing room:** (drésing ru:m) probador
**Fit:** (fit) quedar bien (una prenda)
**Glasses:** (glǽsiz) anteojos
**Gloves:** (gla:vz) guantes
**Hat:** (jæt) sombrero
**Jacket:** (shǽkit) chaqueta
**Jeans:** (shi:ns) pantalones de jean
**Large:** (la:rsh) grande
**Match:** (mæch) combinar
**Medium:** (mí:diu:m) mediano
**On sale:** (a:n séil) en oferta
**Pants:** (pænts) pantalones largos
**Raincoat:** (réinkout) impermeable
**Scarf:** (ska:rf) bufanda
**Shirt:** (she:rt) camisa
**Shoes:** (shu:z) zapatos
**Shorts:** (sho:rts) pantalones cortos
**Size:** (sáiz) talla
**Skirt:** (ske:rt) falda
**Small:** (smo:l) pequeño
**Socks:** (sa:ks) calcetines
**Suit:** (su:t) traje
**Suit:** (su:t) quedar bien (una prenda)
**Sweater:** (sué:re:r) suéter
**T–shirt:** (ti: she:rt) camiseta
**Tennis shoes:** (ténis shu:z) zapatos tenis
**Tie:** (tái) corbata
**Umbrella:** (ambréle) paraguas

**COLORS:** (ká:le:rs) LOS COLORES

**Black:** (blæk) negro

**Blue:** (blu:) azul

**Brown:** (bráun) marrón

**Gray:** (gréi) gris

**Green:** (gri:n) verde

**Lavender:** (lǽvende:r) lavanda

**Light blue:** (láit blu:) celeste

**Navy blue:** (néivi blu:) azul marino

**Orange:** (a:rinsh) anaranjado

**Pink:** (pink) rosa

**Red:** (red) rojo

**White:** (wáit) blanco

**Yellow:** (yélou) amarillo

**POST OFFICE:** (póust á:fis) OFICINA DE CORREOS

**Deliver:** (dilíve:r) enviar

**Delivery:** (dilíve:ri) envio a domicilio

**Global airmail:** (glóubel é:rmeil) via aérea

**Global economy:** (glóubel iká:nemi) correo económico

**Global express guaranteed:** (glóubel iksprés gǽrenti:d)
correo expreso certificado

**Global express mail:** (glóubal iksprés méil) correo expreso

**Letter:** (lére:r) carta

**Mail:** (méil) correo / enviar por correo

**Package:** (pǽkish) paquete

**Postcard:** (póustka:rd) tarjeta postal

**Send:** (sénd) enviar

**Surface mail:** (surféis méil) correo terrestre

**Wire:** (wáir) girar dinero

**MEASUREMENTS:** (méshe:rments) LAS MEDIDAS

**Centimeter:** (séntimire:r) centímetro
**Foot:** (fu:t) pie
**Gallon:** (gǽlen) galón
**Gram:** (græm) gramo
**Inch:** (inch) pulgada
**Kilogram:** (kílegræm) kilogramo
**Kilometer:** (kílá:mi:re:r) kilómetro
**Mile:** (máil) milla
**Millimeter:** (mílimire:r) milímetro
**Ounce:** (áuns) onza
**Pound:** (páund) libra
**Yard:** (ya:rd) yarda

**THE BANK:** (de bænk) **EL BANCO**

**Account:** (ekáunt) cuenta
**ATM:** (o:temætik téler meshí:n) cajero automático
**Bank statement:** (bænk stéitment) resumen bancario
**Banking system:** (bænking sístem) sistema bancario
**Bill:** (bi:l) cuenta (de electricidad, teléfono, etc.)
**Borrow:** (bá:rau) pedir prestado
**Cash:** (kæsh) dinero en efectivo
**Check:** (chek) cheque
**Checkbook**: (chékbu:k) chequera
**Cheking account:** (cheking ekáunt) cuenta corriente
**Credit card:** (krédit ka:rd) tarjeta de crédito
**Debit card:** (débit ka:rd) tarjeta de débito
**Deposit:** (dipá:zit) depósito
**Free of charge:** (fri: ev cha:rsh ) sin cargo
**I.D. card / Identification card:** (ái di: ka:rd) documento de identidad
**Interest rate:** (íntrest réit) tasa de interés
**Lend:** (lénd) prestar
**Monthly payments:** (mánzli péiment) pagos mensuales
**Mortgage:** (mó:rgish) hipoteca
**Overdraft:** (óuverdra:ft) sobregiro
**Personal loan:** (pérsonel lóun) préstamo personal
**Save:** (séiv) ahorrar
**Savings account:** (séivingz ekáunt) cuenta de ahorros
**Transactions:** (trænsækshen) transacciones
**Transfer:** (trænsfe:r) tranferir dinero
**Withdraw:** (widdrá:) retirar dinero

**APARTMENT AND FURNITURE:** (apa:rtment end fe:rniche:r)
EL DEPARTAMENTO Y LOS MUEBLES

**Bathroom:** (bá:zru:m) cuarto de baño
**Bathtub:** (bá:ztab) bañera
**Bed:** (bed) cama
**Bedroom:** (bédru:m) dormitorio
**Carpet:** (ká:rpet) alfombra
**Ceiling:** (sí:ling) techo
**Chair:** (cher) silla
**Coffee table:** (ká:fi téibel) mesa de centro
**Couch:** (káuch) sofá
**Dinning room:** (dáining ru:m) comedor
**Door:** (do:r) puerta
**Floor:** (flo:r) piso
**Furniture:** (fé:rniche:r) muebles
**Kitchen:** (kíchen) cocina
**Lamp:** (læmp) lámpara
**Living room:** (líving ru:m) sala de estar
**Radio:** (réidio) radio
**Room:** (ru:m) habitación
**Rug:** (rág) alfombra pequeña
**Table:** (téibel) mesa
**Television:** (télevishen) televisor
**Wall:** (wo:l) pared
**Window:** (wíndou) ventana

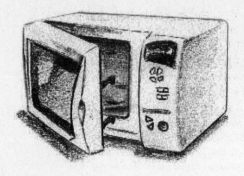

**HOME APPLIANCES:** (jóum apláiensi:z) **ARTEFACTOS PARA EL HOGAR**

**Microwave oven:** (máikreweiv áven) horno a microondas
**Oven:** (áven) horno
**Refrigerator:** (rifríshe:reire:r) refrigerador
**Stove:** (stóuv) cocina
**Vacuum cleaner:** (vækyú:m klí:ne:r) aspiradora
**Washing machine:** (wá:shing meshín) lavarropas

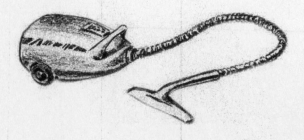

### THE WEATHER: (de wéde:r) EL CLIMA

**Cloud:** (kláud) nube
**Cloudy:** (kláudi) nublado
**Cold:** (kóuld) frío
**Cool:** (ku:l) fresco
**Degrees Celsius:** (digrí:z sélsies) grados centígrados
**Degrees Fahrenheit:** (digrí:z fǽrenjáit) grados Fahrenheit
**Hot:** (ja:t) caliente, caluroso
**Rain:** (réin) lluvia
**Rainy:** (réini) lluvioso
**Snow:** (snóu) nieve
**Snowy:** (snóui) nevoso
**Sun:** (sán) sol
**Sunny:** (sáni) soleado
**Temperature:** (témpriche:r) temperatura
**Warm:** (wa:rm) cálido
**Weather forecast:** (wéde:r fó:rkæst) pronóstico del tiempo
**Wet:** (wét) húmedo
**What's the weather like?** (wa:ts de wéde:r láik) ¿Cómo está el tiempo?
**Wind:** (wind) viento
**Windy:** (wíndi) ventoso

# Palabras usadas al hablar de las estaciones del año

**THE SEASONS:** (de sí:zenz) **LAS ESTACIONES**

**Fall:** (fo:l) otoño
**Spring:** (spring) primavera
**Summer:** (sáme:r) verano
**Winter:** (wínte:r) invierno

**The drugstore:** (de drágsto:r) **La farmacia**

**Antibiotic:** (æntibaiá:rik) antibiótico

**Aspirin:** (æspirin) aspirina

**OTC (over the counter):** (óu ti: si: / óuve:r de káunte:r) medicamentos de venta libre

**Painkiller:** (péinkile:r) calmante

**Prescription:** (preskrípshen) receta médica

**Cough syrup:** (ka:f sírep) jarabe

**Health problems**: (jélz pra:blemz)

**PROBLEMAS DE SALUD**

**Backache:** (bǽkeik) dolor de espalda

**Cold** (kóuld) resfriado

**Cough:** (ka:f) toser / tos

**Fever:** (fi:ve:r) fiebre

**Headache:** (jédeik) dolor de cabeza

**Hurt:** (he:rt) doler

**Indigestion:** (indishéschen) indigestión

**Pulse:** (pa:ls) pulso

**Sick:** (sik) enfermo

**Sneeze:** (sni:z) estornudar

**Sore throat:** (so:r zróut) dolor de garganta

**Sore:** (so:r) dolorida/o, irritada/o

**Stomachache:** (stá:mekeik) dolor de estómago

**Toothache:** (tuz éik) dolor de muelas

PARTS OF THE BODY: (Pa:rts ev de bá:di)
PARTES DEL CUERPO

**Ankle**: (ænkel) tobillo

**Arm:** (a:rm) brazo

**Calf:** (ka:f) pantorrilla

**Cheek:** (chi:k) mejilla

**Chest:** (chest) pecho

**Chin:** (chin) mentón

**Ear:** (yir) oreja

**Elbow:** (élbou) codo

**Eye:** (ái) ojo

**Eyebrows:** (áibrau) ceja

**Eyelashes:** (áilæshiz) pestañas

**Feet:** (fi:t) pies

**Finger:** (fínge:r) dedo

**Foot:** (fu:t) pie

**Forehead:** (fó:rjed) frente

**Hair:** (jéar) cabello

**Hand:** (jænd) mano

**Head:** (jed) cabeza

**Knee:** (ni:) rodilla

**Leg:** (leg) pierna

**Mouth:** (máuz) boca

**Neck:** (nek) cuello

**Nose:** (nóuz) nariz

**Shoulder:** (shóulde:r) hombro

**Teeth:** (ti:z) dientes

**Toe:** (tóu) dedo del pie

**Tooth:** (tu:z) diente

**Waist:** (wéist) cintura

**Wrist:** (rist) muñeca

**AT THE RESTAURANT:** (et de résterent)
**EN EL RESTAURANTE**

**Baked potato:** (béikt petéiro) papa al horno
**Barbecue:** (bá:rbikyu) barbacoa
**Barbecue ribs:** (bá:rbikyu: ribs) costillitas asadas
**Beer:** (bir) cerveza
**Cheese cake:** (chi:zkéik) torta de queso
**Chocolate:** (chá:klet) chocolate
**Coffee:** (ká:fi) café
**Desserts:** (dizé:rt) postres
**Dish:** (dish) plato preparado
**Dressing:** (drésing) aderezo
**Drink:** (drinks) bebida
**French fries:** (french fráiz) papas fritas
**Fried chicken:** (fráid chíken) pollo frito
**Fried shrimp:** (fráid shrimp) camarones fritos
**Green salad:** (gri:n sǽled) ensalada de verduras
**Guacamole:** (wakemóuli:) guacamole
**Homemade pie:** (jóummeid pái) pastel casero
**Ice cream:** (áis kri:m) helado
**Juice:** (shu:s) jugo
**Lasagna:** (lazá:nya) lasagna

**Main couse:** (méin ko:rs) plato principal

**Mayonnaise:** (méieneiz) mayonesa

**Medium:** (mí:diu:m) medianamente cocida

**Menu:** (ményu:) menú

**Mint:** (mint) menta

**Oil:** (óil) aceite

**Onion rings:** (á:nyon ringz) anillos de cebolla

**Pasta:** (pæste) pasta

**Pecan pie:** (pí:ken pái) pastel de nueces

**Pickles:** (píkelz) pepinillos en vinagre

**Pizza:** (pí:tse) pizza

**Rare:** (rer) jugosa o poco asada

**Seafood:** (sí:fu:d) frutos del mar

**Soda:** (sóude) refresco

**Soup of the day:** (su:p ev de **dé**i) sopa del día

**Spaghetti:** (spegéri) spaghetti

**Starter:** (stá:rte:r) entrada

**Steak:** (stéik) carne asada

**Tea:** (ti:) té

**Vanilla:** (veníle) vainilla

**Vinegar:** (vínige:r) vinagre

**Water:** (wá:re:r) agua

**Well done:** (wel dan) bien cocida

**Wine:** (wáin) vino

NOUNS: (náuns) SUSTANTIVOS:

**Abilities:** (abi:líti:z) habilidades
**Admittance:** (edmítens) admisión
**Ads:** (æds) avisos publicitarios
**Advertising:** (ǽdve:rtaizing) publicidad
**Advice:** (edváis) consejo
**Air:** (er) aire
**Alcohol:** (ǽlkeja:l) alcohol
**Alphabet:** (ǽlfebet) alfabeto
**Application form:** (aplikéishen fo:rm)
forma de solicitud
**At:** (æt) arroba
**Attention:** (eténshen) atención
**Autograph:** (á:regræf) autógrafo
**Avenue:** (ǽvenu:) avenida

**Backyard:** (bǽkya:rd) patio trasero
**Badge:** (bæsh) insignia
**Ball:** (bo:l) pelota
**Ballet:** (bæléi) balet
**Bay:** (béi) bahía
**Belt:** (belt) cinturón
**Birthday:** (bé:rzdei) cumpleaños
**Block:** (bla:k) cuadra
**Board:** (bo:rd) cartelera
**Boat:** (bóut) bote
**Bomb:** (ba:m) bomba
**Book:** (buk) libro
**Bowl:** (bóul) tazón
**Box:** (ba:ks) caja
**Boyfriend:** (bóifrend) novio
**Break:** (bréik) descanso
**Buddy:** (bári) amigo
**Buffet:** (beféi) bufet
**Bush:** (bush) arbusto
**Butterfly:** (báre:rflai) mariposa

**Capital:** (kǽperel) capital
**Castle:** (kǽsel) castillo
**Check:** (chek) cuenta (en un restaurante)
**Child:** (cháild) niño/a
**Children:** (children) niños/as
**Chorus:** (kó:res) coro

**Circus:** (sé:rkes) circo
**Coal:** (kóul) carbón
**Collar:** (ká:le:r) cuello (de una prenda)
**Column:** (ká:lem) columna
**Comb:** (kóum) peine
**Common:** (ká:men) común
**Concert:** (ká:nse:rt) concierto
**Condition:** (kendíshen) condición
**Conference:** (ká:nferens) conferencia
**Conversation:** (ka:nve:rséishen) conversa-
ción
**Corner:** (kó:rne:r) esquina
**Culture:** (kélche:r) cultura
**Cushion:** (kúshen) almohadón
**Customer:** (kásteme:r) cliente

**Date:** (déit) fecha, cita
**Decision:** (disíshen) decisión
**Depression:** (dipréshen) depresión
**Diet:** (dáiet) dieta
**Difference:** (díferens) diferencia
**Disco:** (dískou) discoteca
**Dot:** (da:t) punto
**Down payment:** (dáun péiment) anticipo
**Downtown:** (dáuntaun) centro de la ciu-
dad
**Driver:** (dráive:r) conductor/a

**E-mail:** (i: méil) correo electrónico
**End:** (end) final, fin
**Exit:** (éksit) salida

**Floor:** (flo:r) piso
**Flowers:** (fláue:rz) flores
**Fork:** (fo:rk) tenedor
**Fridge:** (frish) refrigerador
**Fudge:** (fa:sh) masa de chocolate
**Fun:** (fan) entretenimiento

**Gas:** (gæs) gasolina
**Ghett:o** (gérou) geto
**Giraffe:** (shirá:f) jirafa
**Girl:** (ge:rl) muchacha
**Girlfriend:** (gé:rlfrend) novia

**Glass:** (glæs) vidrio, vaso
**Gourmet:** (gurméi) gurmet
**Guitar:** (gitá:r) guitarra
**Guys:** (gáiz) chicos, gente

**Heir:** (éir) heredero/a
**Hill:** (jil) colina
**Holiday:** (já:lidei) feriado
**Home:** (jóum) hogar
**Hometown:** (jóumtáun) ciudad natal
**Honesty:** (á:nesti) honestidad
**Honor:** (á:ner) honor
**Hour:** (áur) hora
**House:** (jáuz) casa
**Hymn:** (jim) himno

**Ice:** (áis) hielo
**Idea:** (aidíe) idea
**Information:** (infe:rméishen) información
**Installment:** (instó:lment) cuota
**Insurance:** (inshó:rens) seguro
**Invitation:** (invitéishen) invitación

**Jaw:** (sho:) mandíbula
**Joke:** (shóuk) broma

**Key:** (ki:) llave
**Khaki** (ka:ki) caqui
**Knife:** (náif) cuchillo

**Language:** (lǽnguish ) lenguaje
**Laughter:** (lǽfte:r) risa
**Law:** (lo:) ley
**Lawn:** (lo:n) césped
**Letter:** (lé:rer) letra, carta
**Line:** (láin) fila
**List:** (list) lista
**Log:** (la:g) tronco
**Love:** (lav) amor, cariños (en una carta)
**Luck:** (lak) suerte

**Machine:** (meshí:n) máquina
**Magazine:** (mægezí:n) revista
**Make:** (méik) marca

**Man:** (mæn) hombre
**Marketing:** (má:rkiting) comercialización
**Meaning:** (mí:ning) significado
**Mechanic:** (mekǽnik) mecánico
**Meeting:** (mí:ting) reunión
**Men:** (men) hombres
**Mess:** (mes) lío, desorden
**Message:** (mésish) mensaje
**Metal:** (mérel) metal
**Mice:** (máis) ratones
**Mission:** (míshen) misión
**Mixture:** (míksche:r) mezcla
**Moment:** (móument) momento
**Moon:** (mu:n) luna
**Mouse:** (máus) ratón
**Movie:** (mu:vi) película
**Movies:** (mu:vi:z) cine
**Muscle:** (másel) músculo
**Museum:** (myu:zí:em) museo
**Music:** (myú:zik) música

**Nation:** (néishen) nación
**Nature:** (néiche:r) naturaleza
**Necessary:** (néseseri) necesario
**News:** (nu:z) o (nyu:z) noticias
**Newspaper:** (nyu:zpéiper) diario
**Noise:** (nóiz) ruido

**Occasion:** (ekéishen) ocasión
**Office:** (á:fis) oficina
**Opportunity:** (epe:rtú:neri) oportunidad
**Option:** (á:pshen) opción
**Outing:** (áuting) salida

**Pair:** (per) par
**Park:** (pa:rk) parque
**Party:** (pá:ri) fiesta
**Password:** (pǽswe:rd) contraseña
**People:** (pí:pel) gente
**Person:** (pé:rsen) persona
**Photo:** (fóuro) foto
**Photograph:** (fóuregræf) fotografía
**Physician:** (fizíshen) médico
**Piano:** (piánou) piano

**Picture:** (píkche:r) foto, cuadro
**Place:** (pléis) lugar
**Plan:** (plæn) plano
**Pleasure:** (pléshe:r) placer
**Plumber:** (pláme:r) plomero
**Point:** (póint) punto
**Politician:** (pa:letíshen) político
**President:** (prézident) presidente
**Price:** (práis) precio
**Problem:** (prá:blem) problema
**Product:** (pa:dekt) productos
**Profession:** (preféshen) profesión
**Protection:** (pretékshen) protección
**Psychiatrist:** (saikáietrist) psiquiatra
**Psychology:** (saiká:leshi) psicología

**Queen:** (kuí:n) reina
**Question:** (kuéschen) pregunta

**Radio:** (réidiou) radio
**Regulation:** (regyu:léishen) reglas
**Relation:** (riléishen) relación
**Resident:** (rézident) residente
**Rest:** (rest) saldo
**Rhyme:** (ráim) rima
**River:** (ríve:r) río
**Road:** (róud) camino
**Rod:** (ra:d) vara
**Rouge:** (ru:sh) maquillaje para el rostro

**Sandwich:** (sǽnwich) sandwich
**Scenario:** (senério) panorama
**Scene:** (si:n) escena
**Scenery:** (sí:ne:ri) paisaje
**Scent:** (sent) aroma
**School:** (sku:l) escuela
**Sculpture:** (skálpche:r) escultura
**Sea:** (si:) mar
**Seat:** (si:t) asiento
**Sector:** (séktor) sector
**Sense:** (séns) sentido
**Service:** (sé:rvis) servicios
**Shelf:** (shelf) estante
**Shopping:** (sha:ping) compras
**Show:** (shóu) espectáculo
**Sky:** (skái) cielo
**Society:** (sesáieri) sociedad

**Space:** (spéis) espacio
**Station:** (stéishen) estación
**Street:** (stri:t) calle
**Student:** (stú:dent) estudiante
**Subject:** (sábshekt) asunto
**Surprise:** (se:rpráiz): sorpresa

**Tax:** (tæks) impuesto
**Test drive:** (test dráiv) vuelta de prueba
**Theater:** (zíere:r) teatro
**Thing:** (zing) cosa
**Time:** (táim) tiempo
**Times:** (táimz) veces
**Tourism:** (tú:rizem) turismo
**Tub:** (tab) bañera

**Union:** (yú:nien) sindicato
**University:** (yu:nive:rsiri) universidad

**Vacation:** (veikéishen) vacación
**View:** (viú:) vista
**Village:** (vílish) villa
**Vision:** (víshen) visión
**Voice:** (vóis) voz

**Way:** (wéi) camino, manera
**Wedge:** (wesh) cuña
**Week:** (wi:k) semana
**Weekend:** (wí:kend) fin de semana
**Weight:** (wéit) peso
**Woman:** (wúmen) mujer
**Women:** (wímin) mujeres
**Wood:** (wud) madera
**World:** (we:rld) mundo

**Xerox:** (zíra:ks) fotocopiar
**Xylophone:** (záilefoun) xilofono

**Year:** (yir) año

**Zoo:** (zu:) zoológico

**Adjectives:** (æshetivz) Adjetivos

**Able:** (éibel) capaz
**Absent-minded:** (æbsent-máindid) distraí-do/a
**Angry:** (ængri) enojado
**Awful:** (o:fel) feo/a, horrible

**Bad:** (bæd) malo
**Beautiful:** (biú:rifel) hermoso/a, lindo/a
**Beige:** (bésh) beige
**Better:** (bére:r) mejor
**Big:** (big) grande
**Blind:** (bláind) ciego/a
**Boring:** (bó:ring) aburrido/a
**Busy:** (bízi) ocupado/a

**Cheerful:** (chí:rfel) alegre
**Comfortable:** (kámfe:rte:rbel) cómodo
**Cool:** (ku:l) muy bueno/a
**Creative:** (kriéiriv) creativo
**Curly:** (ké:rli) enrulado

**Dangerous:** (déinsheres) peligroso
**Dark:** (da:rk) oscuro
**Delicious:** (dilíshes) delicioso
**Difficult:** (dífikelt) difícil
**Dirty:** (dé:ri) sucio
**Double:** (dábel) doble

**Early:** (é:rli) temprano
**Easy:** (í:zi) fácil
**Economical:** (ikená:mikel) económico
**Efficient:** (efíshent) eficiente
**Excellent:** (ékselent) excelente
**Expensive:** (ikspénsiv) caro

**Fair:** (fe:r) rubio/a
**Far:** (fa:r) lejos

**Final:** (fáinel) final
**Fictitious:** (fiktíshes) ficticio/a
**Fine:** (fáin) bien
**Friendly:** (fréndli) cordial
**Funny:** (fáni) gracioso, divertido

**Glad:** (glæd) alegre
**Good:** (gud) bueno
**Great:** (gréit) fantástico

**Happy:** (jæpi) felíz
**Hard:** (ja:rd) difícil
**Hardworking:** (já:rdwe:rking) trabajador
**Heavy:** (jévi) pesado
**Homesick:** (jóumsik) nostálgico
**Honest:** (á:nest) honesto

**Important:** (impó:rtent) importante
**Incredible:** (inkrédibel) increíble
**Infectious:** (infékshes) infeccioso/a
**Intelligent:** (intélishent) inteligente
**Interesting:** (íntresting) interesante
**International:** (internæshenel) internacional

**Last:** (læst) último
**Late:** (léit) tarde
**Like:** (láik) similar
**Little:** (lírel) pequeño
**Lonely:** (lóunli) solitario
**Long:** (la:ng) largo
**Low:** (lóu) bajo
**Loyal:** (ló:yel) lea
**Lucky:** (láki) afortunado

**Magic:** (mæshik) magia
**Main:** (méin) principal
**Mixed:** (míkst) mezclado/a

New: (nu:) nuevo
Nice: (náis) agradable
Nutritious: (nu:tríshes) nutritivo/a

OK: (óu kéi) muy bien, de acuerdo
Official: (efíshel) oficial
Old: (óuld) viejo, antiguo
Overweigtht: (óuve:rweit) excedido en peso
Patient: (péishent) paciente
Perfect: (pérfekt) perfecto
Popular: (pá:pyu:ler) popular
Powerful: (páue:rfel) poderoso/a
Precious: (préshes) preciado, querido
Pretty: (príri) bonito
Psychological: (saikelá:shikel) psicológico/a

Quick :(kuík) rápido/a

Ready: (rédi) listo
Rectangular: (rektǽngyiu:le:r) rectangular
Regular: (régyu:le:r) regular
Relaxing: (rilǽksing) relajado
Reliable: (riláiebel) confiable
Responsible: (rispá:nsibel) responsable
Right: (ráit) correcto/a, derecho/a (dirección)
Rough: (ráf) áspero, desparejo

Sad: (sæd) triste
Safe: (séif) seguro, a salvo
Short: (sho:rt) de baja estatura, corto

Smelly: (sméli) oloroso/a
Social: (sóushel) social
Solemn: (sá:lem) solemne
Spacious: (spéishes) espacioso
Special: (spéshel) especial
Square: (skué:r) cuadrado
Straight: (stréit) lacio, derecho
Sweet: (swi:t) dulce

Tall: (to:l) alto
Terrible: (téribel) terrible
Thin: (zin) delgado
Tidy: (táidi) ordenado
Tired: (táie:rd) cansado
Tiring: (táiring) cansador
Total: (tóurel) total
Tough: (taf) difícil, violento
True: (tru:) verdadero/a
Typical: (típikel) tìpico

United: (yu:náirid) unido/a, unidos/as
Universal: (yu:nive:rsel) universal
Untidy: (antáidi) desordenado
Usual: (yú:shuel) usual

Wavy: (wéivi) ondulado
Whole: (jóul) entero
Worried: (wé:rid) preocupado
Worse: (we:rs) peor
Wrong: (ra:ng) incorrecto/a, equivocado/a

Young: (ya:ng) jóven

— Is this **your** coat?
— Yes, it is **my** coat.

**POSSESSIVE ADJECTIVES:** (pez**é**siv æ**sh**etivz)

**ADJETIVOS POSESIVOS**

**My:** (mái) mi

**Your:** (yo:r) tu, su, de usted, de ustedes

**His:** (jis) su (de él)

**Her:** (je:r) su (de ella)

**Its:** (its) su (de animal o cosa)

**Our:** (aue:r) nuestro/a

**Their:** (de:r) su (de ellos/as)

**Accept:** (eksépt) aceptar
**Add:** (æd) agregar
**Agree:** (egrí:) estar de acuerdo
**Am:** (æm) soy/estoy
**Answer:** (ǽnse:r) contestar
**Are:** (a:r) eres/es estás/está
**Arrange:** (eréinsh) organizar
**Ask:** (æsk) preguntar
**Attend:** (eténd) concurrir

**Bathe:** (béid) bañarse
**Be like:** (bi: láik) parecerse
**Be:** (bi:) ser, estar
**Been:** (bi:n) estado
**Begin:** (bigín) comenzar
**Breathe:** (bri:d) respirar
**Bring:** (bring) traer
**Buy:** (bái) comprar

**Change:** (chéinsh) cambiar
**Check:** (chek) revisar
**Clean up:** (kli:n ap) limpiar
**Clean:** (kli:n) limpiar
**Come back:** (kam bæk) regresar
**Come in:** (kam in) entrar
**Come over:** (kam ouve:r)
ir a la casa de alguien
**Come:** (kam) venir
**Complete:** (kemplí:t) completar
**Contain:** (kentéin) contener
**Cook:** (kuk) cocinar
**Cost:** (ka:st) costar
**Cry:** (krái) gritar, llorar

**Dance:** (dæns) bailar
**Depend:** (dipénd) depender
**Design:** (dizáin) diseñar
**Do:** (du:) hacer
**Drink:** (drink) beber
**Drive:** (dráiv) conducir
**Dust:** (dast) quitar el polvo

**Eat out:** (i:t áut) comer en un
restaurante

**Eat:** (i:t) comer
**Enjoy:** (inshói) disfrutar
**Enter:** (énte:r) ingresar
**Explain:** (ikspléin) explicar

**Fasten:** (fǽsen) ajustarse
**Feel:** (fi:l) sentir
**Follow:** (fá:lou) seguir
**Forget:** (fegét) olvidar

**Get back:** (get bæk) regresar
**Get:** (get) conseguir, comprar, llegar
**Give:** (giv) dar
**Go out:** (góu áut) salir
**Go:** (góu) ir
**Guess:** (ges) suponer, adivinar

**Hassle:** (jǽsel) forcejear
**Hate:** (jéit) odiar
**Have:** (jæv) tener, poseer
**Help:** (jelp) ayudar
**Hope:** (jóup) sperar

**Improve:** (imprú:v) mejorar
**Introduce:** (intredyiú:z) presentar
**Invite:** (inváit) invitar
**Iron:** (áiren) planchar
**Is:** (i:z) es / está

**Kiss:** (kis) besar
**Know:** (nóu) saber, conocer a alguien

**Laugh:** (læf) reir
**Learn:** (le:rn) aprender
**Leave:** (li:v) dejar o irse de un lugar
**Like:** (láik) gustar
**Listen:** (lísen) escuchar
**Live:** (liv) vivir
**Look for:** (luk fo:r) buscar
**Look like:** (luk láik) parecerse
**Look:** (luk) mirar
**Lose:** (lu:z) perder
**Love:** (lav) amar, encantar

**Make:** (méik) hacer, preparar
**Match:** (mæch) hacer coincidir, congeniar
**Mean:** (mi:n) significar
**Meet:** (mi:t) conocer o encontrarse con alguien
**Move:** (mu:v) mover, mudarse

**Need:** (ni:d) necesitar

**Offer:** (á:fe:r) ofrecer
**Open:** (óupen) abrir
**Operate:** (á:pereit) operar
**Order:** (á:rde:r) ordenar

**Paint:** (péint) pintar
**Park:** (pa:rk) aparcar
**Pass:** (pæs) aprobar
**Pay:** (péi) pagar
**Pick up:** (pik ap) recoger
**Plan:** (plæn) planificar
**Prefer:** (prifé:r) preferir
**Prepare:** (pripé:r) preparar
**Promise:** (prá:mis) prometer
**Provide:** (prevάid) ofrecer
**Push:** (push) empujar
**Put:** (put) poner

**Read:** (ri:d) leer
**Receive:** (risí:v) recibir
**Recommend:** (rekaménd) recomendar
**Relax:** (rilæks) relajarse
**Remember:** (rimémbe:r) recordar
**Rent:** (rent) rentar
**Repeat:** (ripí:t) repetir
**Run:** (ran) correr

**Say:** (séi) decir
**See:** (si:) ver
**Seem:** (si:m) parecer
**Sell:** (sel) vender
**Serve:** (se:rv) servir
**Shine:** (sháin) brillar
**Show:** (shóu) mostrar
**Sign:** (sáin) firmar

**Sing:** (sing) cantar
**Sit:** (sit) sentarse
**Sleep:** (sli:p) dormir
**Smoke:** (smóuk) fumar
**Sold:** (sóuld) vendido
**Sound:** (sáund) sonar
**Spell:** (spel) deletrear
**Start:** (sta:rt) comenzar
**Stay:** (stéi) hospedarse
**Study:** (stádi) estudiar
**Suffer:** (sáfe:r) sufrir
**Suggest:** (seshést) sugerir
**Suppose:** (sepóuz) suponer
**Surf:** (se:rf) navegar
**Sweep:** (swi:p) barrer

**Take:** (téik) tomar, llevar, tardar
**Teach:** (ti:ch) enseñar
**Tell:** (tel) contar, decir, relatar
**There are:** (der a:r) hay (pl.)
**There is:** (der iz) hay (sing.)
**Think:** (zink) pensar
**Tidy:** (táidi) ordenar, poner en order
**Try:** (trái) tratar, intentar

**Understand:** (ande:rstǽnd) entender

**Vacuum:** (vækyú:m) pasar la aspiradora
**Visit:** (vízit) visitar

**Wait:** (wéit) esperar
**Want:** (wa:nt) querer
**Was:** (wa:z) fue, estuvo
**Wash:** (wa:sh) lavar
**Watch:** (wa:ch) mirar
**Wear:** (wer) usar ropa
**Weigh:** (wéi) pesar
**Were:** (wer) fueron, estuvieron
**Worry:** (wé:ri) preocuparse
**Write:** (ráit) escribir

— **May** I help you?
— Yes, **do** you have long sleeve t-shirts?

**Auxiliaries:** (a:gzí:lieri:z) **Auxiliares**

**Can:** (kæn) poder (para abilidad y pedidos informales)

**Could:** (kud) poder (para pedidos formales)

**Did:** (**did**) auxiliar para el pasado simple

**Do:** (**du**:) auxiliar para el presente simple

**Does:** (**da**z) auxiliar para presente simple

**Have to:** (hæv te) auxiliar que indica necesidad

**May:** (méi) poder (para pedir permiso)

**Must:** (mast) deber, estar obligado, deber de

**Should:** (shud) deber (para dar consejos)

**Will:** (wil) auxiliar para el futuro

**Would:** (wud) auxiliar para ofrecer o invita

**ADVERBS:** (ǽdve:rbs) Adverbios

**A bit:** (e bit) un poco
**A few:** (e fyu:) unos pocos
**A little:** (e lírel) un poco
**A lot:** (e la:t) mucho
**Absolutely:** (ǽbselú:tli ) absolutamente
**Across:** (ekrá:s) a través, en frente de
**Actually:** (ǽkchueli) realmente
**After:** (ǽfte:r) después
**Again:** (egén) otra vez
**Ago:** (egóu) tiempo atrás
**Also:** (ó:lsou) también
**Always:** (ó:lweiz) siempre
**Around:** (eráund) alrededor
**As:** (æz) como (para comparar)

**Enough:** (ináf) suficientemente
**Ever:** (éve:r) alguna vez
**Every day:** (évri déi) todos los días
**Exactly:** (igzǽktli) exactamente

**Finally:** (fáineli) finalmente
**First:** (fe:rst) en primer lugar, primero

**Generally:** (shénereli) generalmente

**Here:** (jir) aquí, acá

**In fact:** (in fækt) de hecho

**Just:** (shast) recién

**Late:** (léit) tarde

**Never:** (néve:r) nunca
**Next to:** (nékst tu:) al lado de
**Next:** (nékst) próximo
**No:** (nóu) no
**Not:** (na:t) no

**Often:** (á:ften) a menudo
**Once:** (uáns) una vez
**Only:** (óunli) solamente
**Outside:** (autsáid) afuera
**Over there:** (óuve:r de:r) allá

**Perfectly:** (pé:rfektli) perfectamente
**Pretty:** (príri) muy

**Quite:** (kuáit) bastante

**Rarely:** (rérli) raramente
**Really:** (rí:eli) realmente
**Right here:** (ráit jir) aquí mismo
**Right now:** (ráit náu) ahora mismo

**Since:** (sins) desde
**Slowly:** (slóuli) lentamente
**So:** (sóu) así, de esta manera
**Sometimes:** (sámtaimz) a veces
**Soon:** (su:n) pronto
**Still:** (stil) aún, todavía

**Then:** (den) entonces
**There:** (der) allá, allí
**Through:** (zru:) a través
**Tomorrow:** (temó:rou) mañana
**Tonight:** (tenáit) esta noche
**Too:** (tu:) también
**Twice:** (tuáis) dos veces

**Usually:** (yú:shueli) usualmente

**Very:** (véri) muy

**Well:** (wel) bien

**Yes:** (yes) sí
**Yesterday:** (yéste:rdei) ayer
**Yet:** (yet) aún, todavía

**All** three friends are in the coffee shop.
**Both** men are drinking coffee.

**DETERMINERS:** (dité:rminers) **MODIFICADORES**

**All:** (o:l) todos

**Both:** (bóuz) ambos/as

**Less:** (les) menos

**Little:** (lírel) pequeño

**More:** (mo:r) más

**Other:** (áde:r) otro

INDEFINITE PRONOUNS: (indéfinit próunaunz)

LOS PRONOMBRES INDEFINIDOS

**Anybody:** (éniba:di) alguien (interrogativo), nadie (negativo)

**Anyone:** (éniuan) alguien (interrogativo), nadie (negativo)

**Anything:** (énizing) algo (interrogativo) nada (negativo)

**Everything:** (évrizing) todo

**Nothing:** (názing) nada

**One:** (wan) uno/a

**Somebody:** (sámbedi) alguien (afirmativo)

**Someone:** (sámuen) alguien (afirmativo)

**Something:** (sámzing) algo

— Is there **anything** to eat?
— Yes, but there is **nothing** ready. **Everything** is uncooked.

**She**

**He**

**SUBJECT PRONOUNS:** (sábshekt próunaunz)

**PRONOMBRES DE SUJETO**

**I:** (ai) yo

**You:** (yu:) tú, Ud., Uds.

**He:** (ji:) el

**She:** (shi:) ella

**It:** (it) eso/a

**We:** (wi:) nosotros/as

**They:** (déi) ellos/as

# pronombres de objeto

pronombres de objeto

**Object pronouns:** (**á:bsh**ekt próunaunz)

**Pronombres de Objeto**

**Me:** (mi:) me, a mí

**You:** (yu:) te, a ti, a Ud., a Uds.

**Him:** (jim) lo, le (a él)

**Her:** (je:r) la, le, a ella

**It:** (it) lo, le (a ello)

**Us:** (as) nos, a nosotros/as

**Them:** (dém) les, las, los, a ellos/as

Bill is eating with **them**.
Annie is looking at **him**.
Luis is seated next to **her**.

— Is this jacket **yours**?
— No, it is not **mine**. It is **his**.

**POSSESSIVE PRONOUNS:** (pezésiv próunaunz)

**PRONOMBRES POSESIVOS**

**Mine:** (máin) mio/a

**Yours:** (yo:rz) tuyo/a, suyo/a

**His:** (jiz) de él

**Hers:** (jerz) de ella

**Ours:** (áue:rz) nuestros/as

**Theirs:** (de:rz) de ellos/as

**DEMONSTRATIVE PRONOUNS:** (dimá:nstrativ próunaunz)

**PRONOMBRES DEMOSTRATIVOS**

**This:** (dis) esta / este - esto

**That:** (dæt) esa / ese / eso, aquella / aquel / aquello

**These:** (di:z) estas / estos

**Those:** (dóuz) esas/os, aquellas/os

— **This** is my friend Luis.

# Los artículos

**ARTICLES:** (á:rtikels) **LOS ARTÍCULOS**

**A:** (e) un, una
**An:** (æn) un, unos
**The:** (de) el, la, las, los

# Los conectores

**LINKING WORDS:** (linking we:rdz) LOS **CONECTORES**

**And:** (end) y
**But:** (bat) pero
**Either ... or:** (í:de:r ...o:r) o... o
**Neither... nor:** (ní:de:r no:r) ni... ni
**Or:** (o:r) o
**So:** (sóu) por lo tanto
**While:** (wáil) mientras

Luis is **in** the kitchen, **next** to the counter.

### PREPOSITIONS (prépazshens) PREPOSICIONES

**About:** (ebáut) acerca de
**Above:** (ebáv) arriba de
**Across:** (ekrá:s) cruzando, a través
**At:** (æt) a, en
**Behind:** (bijáind) detrás
**Below:** (bilóu) debajo de
**Between:** (bitu:ín) entre
**By:** (bái) en, por (medios de transporte)
**Down:** (dáun) abajo
**During:** (dú:ring) durante
**For:** (fo:r) para
**From:** (fra:m) de, desde
**In front of:** (in fra:nt ev) enfrente de
**In:** (in) en
**Into:** (intu:) dentro
**Near:** (ni:r) cerca
**Next to:** (neks tu:) junto a
**Of:** (ev) de
**On:** (a:n) sobre
**Out:** (áut) afuera
**Over:** (óuve:r) por encima
**Per:** (pe:r) por
**Through:** (zru:) a través
**To:** (tu:) a, para alguien, hacia
**Under:** (ánde:r) debajo
**Up:** (ap) arriba
**With:** (wid) con
**Without:** (widáut) sin

**EXPRESSIONS:** (ikspréshens) EXPRESIONES

**All right:** (o:l ráit) está bien
**Certainly!** (sé:rtenli) ¡seguro!
**Cheer up!** (chir ap) ¡alégrate!
**Come in:** (kam in) pase/a.
**Come on in:** (kam a:n in) pase/a
**Come this way:** (kam dis wéi) venga/n por aquí
**Could you repeat?** (kud yu : ripi :t) podría repetir?
**Don't worry!** (dóunt wé:ri) ¡no te preocupes/se preocupe!
**Excuse me:** (ikskyu:z mi:) disculpe
**For example:** (fer igzǽmpel) por ejemplo
**Good luck!** (gud lak) ¡buena suerte!
**Great idea!** (gréit aidíe) ¡gran idea!
**Great:** (gréit) ¡fantástico!
**Help yourself!** (jelp yursélf) ¡sirvete algo!
**Help yourselves!** (jelp ye:rselvz) ¡sírvanse algo!
**Here you are:** (jir yu: a:r) aquí tiene/s
**Holy smoke!** (jóuli smóuk) ¡santo cielo!
**How about?** (jáu abáut) ¿qué te parece… ? ¿qué tal si… ?
**How can I get to…?** (jáu ken ai get tu:) ¿cómo puedo llegar a… ?
**Hurry up!** (jári ap) apúrate / apúrese
**I agree with you:** (ái egri: wid yu:) estoy de acuerdo contigo/Ud.
**I don't know:** (ái dóunt nóu) no lo sé
**I don't understand:** (ái dóunt ande:rstǽnd) no entiendo
**I'm cold:** (áim kóuld) tengo frío
**I'm coming!** (áim káming) ¡ya voy!
**I've got a cold:** (áiv ga:t e kóuld) tengo un resfriado
**I'm afraid… :** (áim efréid) me temo que…
**I'm sorry:** (áim sa:ri) lo siento
**It depends:** (it dipéndz) depende
**It's a deal!** (its e di:l) ¡trato hecho!

**Let me think:** (let mi: zink) déjeme / déjame pensar

**Let's... :** (lets) vamos a (invitación o sugerencia para hacer algo)

**Look after yourself:** (luk áefte:r ye:rsélf) cuídate / cuídese

**My name's:** (mái néimz) mi nombre es…

**Of course!** (ev ko:rs) ¡por supuesto!

**Oh, dear!** (óu dir) ¡oh, pobre! para expresar pena por alguien

**Please:** (pli:z) por favor

**Right now:** (ráit náu) en este momento

**…say... :** (séi) digamos (cuando sugieres algo)

**See you:** (si: yu:) nos vemos…

**Soaked to the bone:** (sóukt te de bóun) empapado hasta los huesos

**Sounds good!** (sáundz gud) ¡suena bien!

**Stay well!** (stéi wel) ¡que sigas bien!

**Sure:** (sho:r) seguro

**Take a seat:** (téik e si:t) tome asiento

**Take care!** (téik ke:r) ¡cuídate!

**Tell me about:** (tel mi: abáut) cuéntame / cuénteme sobre…

**Terrific!** (terífik) ¡fantástico!

**Thank you for... :** (zænk yu fo:r) gracias por…

**Thank you very much:** (zænk yu: véri mach) muchísimas gracias

**Thank you:** (zænk yu:) gracias

**Thanks a lot:** (zænks e la:t) muchas gracias

**Thanks:** (zænks) gracias

**That's right:** (dæts ráit) así es

**That's settled!** (dæts sételd) ¡está resuelto!

**There you are:** (der yu: a:r) aquí lo tienes

**To be good at:** (te bi: gud æt) ser bueno para / en

**What a mess!** (wa:t e mes) ¡qué desorden!

**What about... ?** (wa:t ebáut) ¿qué te parece… ? para sugerir

**What do you do?** (wa:t du: yu: du:) ¿a qué te dedicas?

**What's your job?** (wa:ts yo:r sha:b) ¿cuál es tu trabajo?

**What's your name?** (wa:ts yo:r néim) ¿cuál es tu nombre?

**What's the matter?** (wa:ts de máre:r) ¿qué sucede?

**What's the meaning of... ?** (wa:ts de mí:ning ev) ¿qué significa… ?

**What's wrong (with)?** (wa:ts ra:ng wid) ¿qué hay de malo?

**Why don't... ?** (wái dóunt) ¿por qué no… ?

**You never know:** (yu: néve:r nóu) nunca se sabe

**You should... :** (yu: shud) usted debería…

**You're kidding:** (yur kíding) estás bromeando

**You're right:** (yu:r ráit) tienes razón

**You'd better... :** (yu:d bére:r) sería mejor que…

**You're welcome:** (yú:r wélkem) no hay de qué

# Las palabras interrogativas

**How about... ?** (jáu ebáut...) ¿qué te parece?, ¿qué tal si?

**How far:** (jáu fa:r) ¿a qué distancia?

**How long:** (jáu la:ng) ¿cuánto tiempo?

**How many:** (jáu méni)¿ cuántos/as?

**How much:** (jáu mach) ¿cuánto/a?

**How often?** (jáu á:ften) ¿cuántas veces?

**How old?** (jáu óuld) ¿cuántos años?, ¿qué edad?

**How strange!** (jáu stréinsh) ¡qué raro!

**How:** (jáu) ¿cómo?

**What is / are_____like?** (wa:t iz/a:r_____láik) ¿cómo es... ?

**What kind of...?** (wa:t káind ev) ¿qué clase de... ?

**What:** (wa:t) ¿qué?

**When:** (wen) ¿cuándo?

**Where:** (wer) ¿dónde?

**Which:** (wích) ¿cuál?

**Who:** (ju:) ¿quién?

**Whose:** (ju:z) ¿de quién?

**Why:** (wái) ¿por qué?

— **How much** is this?

# Los números cardinales

CARDINAL NUMBERS: (ká:rdinel námbe:rz)
NÚMEROS CARDINALES

Zero: (zírou) cero
One: (wan) uno
Two: (tu:) dos
Three: (zri:) tres
Four: (fo:r) cuatro
Five: (fáiv) cinco
Six: (síks) seis
Seven: (séven) siete
Eight: (éit) ocho
Nine: (náin) nueve
Ten: (ten) diez
Eleven: (iléven) once
Twelve: (twelv) doce
Thirteen: (ze:rtí:n) trece
Fourteen: (fo:rtí:n) catorce
Fifteen: (fiftí:n) quince
Sixteen: (sikstí:n) dieciseis
Seventeen: (seventí:n) diecisiete
Eighteen: (eití:n) dieciocho
Nineteen: (naintí:n) diecinueve
Twenty: (twéni) veinte
Thirty: (zé:ri) treinta
Forty: (fó:ri) cuarenta
Fifty: (fífti) cincuenta
Sixty: (síksti) sesenta
Seventy: (séventi) setenta
Eighty: (éiri) ochenta
Ninety: (náinri) noventa
Hundred: (jándred) cien
Thousand: (záunsend) mil
Million: (mílien) millón
Billion: (bílien) billón (mil millones)

# Los números ordinales

**Ordinal numbers:** (ó:rdinel námbe:rz)

Números ordinales

**First:** (f e:rst) primero

**Second:** (sékend) segundo

**Third:** (ze:rd) tercero

**Fourth:** (fo:rz) cuarto

**Fifth:** (fifz) quinto

**Sixth:** (síksz) sexto

**Seventh:** (sévenz) séptimo

**Eighth:** (éiz) octavo

**Ninth:** (náinz) noveno

**Tenth:** (tenz) décimo

**Eleventh:** (ilévenz ) décimo primero

**Twelveth:** (twelz) décimo segundo

**Twentieth:** (twéntiez) vigésimo

**Thirtieth:** (zé:rtiez) trigésimo